手取り13万円のポンコツOLが
月収100万円を達成した

フリーランスの教科書

株式会社Colore代表取締役
池田彩

SOGO HOREI PUBLISHING CO., LTD

はじめに

人生の充実度を決める「仕事」「時間」「お金」「人間関係」

「充実している」とは？

突然ですが、あなたは**何をもって「充実している」と感じますか？**

例えばSNSを見ていると、「この人、キラキラしていて充実しているな」「リア充だな」と思うことは多いでしょう。

しかし、よく考えてみてほしいのです。人によってその定義は異なるはず。見せかけだけキラキラしていても、それがあなたにとっての充実とは限りません。お金はたくさんあるのに遊ぶ時間がない人、反対に時間はあるのにお金がない人、お金と時間はあるのに人間関係で無理をしている人などは、きっと満たされてはいないでしょう。**時間、お金、人間関係のすべてが満足できている状態**でないと、充実しているとは思えないはずです。

また、特に私たち日本人の中には、人生において仕事が重要だと考えている人が多いのではないでしょうか。なぜなら社会人の多くは、1日に8～10時間程度を仕事に費やしているからです。私たちが仕事をしている時間は、人生の時間のうち約3割といわれます。

「仕事は自己実現の手段だ」という人と、「そんなことはない、単にお金を稼ぐ手段だ」という人と、さまざまな考え方があるでしょう。私自身は前者、仕事は自己実現の手段だと思っています。仕事を通してお客さまにどんな価値を提供できるのかを常に意識しているのですが、いい仕事ができてお客さまに喜んでいただけたときに、大きなやりがいを感じて幸福度が上がります。

仕事にやりがいを感じてイキイキしている。そして、時間やお金、人間関係に制限がかけられることなく、思い通りにデザインして自分らしく生きられる。**仕事、時間、お金、人間関係という４つの軸**が満たされたとき、はじめて「人生が充実している」と思えるのではないでしょうか。

「理想のライフスタイル」をベースに仕事を選ぼう

私は新卒である会社に入ったのですが、激務と薄給で体調を崩して退職しました。退職する前からフリーランスになることを目指して副業を開始し、仕事を安定して得られるようになったので、退職直後からフリーランスとして働き始めたのです。SNS運用代行・コンサルティングをメインに仕事をしたところ、すぐに軌道に乗り、月収100万円を達成。会社を辞めて２年、今はSNSの会社を経営しています。自分が理想とする「ゆるく、楽しく、自由に働く」を叶えるフリーランスという働き方を実現でき、とても満足しています。

では、その自分の理想の働き方とはどういったものなのでしょうか。それを、あなたにまず考えていただきたいのです。「やりたいことを仕事にする」ことでしょうか？　しかし、趣味が人生の時々で変わるように、やりたいことも変わるかもしれませんよね。一方で、「こういうふうに生活したい」というライフスタイル観はあまり変わらないはず。そのため**仕事は、理想のライフスタイルをベースにして選ぶ**と、比較的うまくいくでしょう。

私は会社員生活に行き詰まったとき、改めて「自分はどんなライフスタイルを送りたいのだろう？」と自問しました。朝はゆっくりしたいし、夜も自分の時間がほしい。人間関係においても、考え方が合わない人と一緒に仕事をしたくはない。好きなときに旅行をしたいし、思い立ったときに家族に会いたい。

会社員のままでは、この理想とするライフスタイルを実現させられないと思って、フリーランスを選ぶことにしました。

消去法でも自分に合う仕事は見つけられる

「夢や理想がない」という方もいますが、私は夢や理想なんて、あまり求めなくてもいいと思っています。

理想を探しながらできることを増やし、いろんな体験や経験、見聞きしたことを自分の栄養にする。そのうちに、自分らしい理想を描けるようになればいい。

私は「こういう仕事や生活はしたくない」というところから、消去法でフリーランスになっています。**自分にとって譲れない条件を大切に**したら、自分に合った仕事をちゃんと選ぶことができました。自分に合った働き方は、人生の幸福度をとても高めてくれたと実感しています。

自分らしい生き方と言うと、とても壮大な感じがするかもしれませんが、そんなことはありません。「2週間後に旅行したい」「明日は10時まで寝ていたい」――。**周りの迷惑にならない程度に、自分の小さな希望を叶えられる生活**は、とても“自分らしい生き方”です。**自分の気持ちに嘘がなくイキイキしている人**は、それだけで自分らしいと思います。

私自身は今、とても自分らしく働けています。フリーランスとして安定した生活ができており、我慢して嫌いな人と付き合う必要もなくなりました。また、失礼な言い方ではありますが、お客さまを選べるようになりました。地域のフリーランスコミュニティで信頼できる仲間を得て、助け合いながら仕事をしています。

人生を終えるときに、「好きな人と好きなことをして、自分らしく生きられた一生だったな」と思えるのが最も幸せではないでしょうか。さまざまなことを我慢しながら働き続けるのは、最期に後悔が残ってしまうと思うのです。

手取り13万円のOLがフリーランスになったワケ

会社に頼らず「個人」として生き抜く力が問われる時代

あなたは、フリーランスという働き方にどんなイメージを持っていますか？　自由で我が道を行く、得意を生かせる、自分のペースで仕事ができるという前向きなイメージでしょうか。それとも、収入が不安定、社会的信用が低い、将来が不安、営業が大変そうというマイナスの印象が強いでしょうか。

フリーランスとは、会社や組織に属さず独立し、さまざまなプロジェクトに関わって自分の知識や技術を提供し、報酬を得るという働き方です。能力や働きぶりが評価されれば、多くの業務依頼が寄せられ、収入もアップします。一方で労働基準法などの労働法規は適用されませんし、社会保障も頼りないのが現状です。

日本のフリーランス人口は、約462万人といわれています(内閣官房「フリーランス実態調査」(2020年))。会社員を対象にしたあるアンケートでは、約4割の人が「フリーランスになれるならなりたいと思っている」と回答しているのです。ではなぜ、あなたはフリーランスにならないのでしょうか？ここで少し、私がフリーランスになった理由をお話しします。

私は学生時代から将来起業したいと思っていたので、まずは組織に入って経験を積もうと、新卒でスタートアップの小さな会社に就職しました。

しかし、お給料は手取りで約13万円。残業代は一切なしで、家賃補助や食費補助なども出ませんでした。

当時は同居人と家賃を折半して暮らしていたのですが、それでも7万円。すると、残り6万円ぐらいで生活するしかない。食べたいものも食べられず、栄養バランスを整える余裕もないので、とても不摂生でした。

友人に誘われてもどこかに行くお金はないから、「家で遊ぼうよ」なんて誤魔化していました。もちろん貯金はほとんどできないので常にカツカツで、好きな旅行もまったく実現できない。仕事がハードだったので常に疲れていて、休みの日はずっと寝ていました。

心から尊敬できない上司や先輩と働くのもつらく、いつも辞めたいと思っていましたが、「辞めたら会社の人から悪口を言われるんじゃないか」「周りの人はこう思うんじゃないか」と、他人の目をとても気にしていました。そんな毎日は、精神的にもとてもきついものでした。

もちろん転職を考えたのですが、よく考えてみたのです。

今は国が副業を解禁しています。つまり、どんなに大きな会社に勤めていたとしても、「一つの会社にしがみつくだけでは、もう生きてはいけないよ」と、悲しいことに国がメッセージを発しているのです。

これからは、フリーランスになるか否かは別として、会社に頼らずとも**個人として生き抜く力が問われる**でしょう。個人で生きていく力を持たないと、社会も会社も守ってくれない。ならば、転職したとしても本質的な問題は変わらないと、そう思って私はフリーランスになることを決意したのです。

この本では、フリーランスの始め方から営業方法、SNS運用代行の現状まで、フリーランスとして働く際に必要な基礎知識を紹介しています。今の働き方に疑問を持ち、「自分の理想とする生き方を実現したい」と考える方の一助となれば幸いです。

contents

CHAPTER 02 フリーランスをスタートする前にやっておくべきこと

CHAPTER 03 これで月収100万円！フリーランスで働き始めたら

CHAPTER 04 月収100万円を叶えるフリーランスの営業方法

CHAPTER 05 今が狙い目！ ショート動画とSNS運用代行ノウハウ

ブックデザイン／別府拓（Q.design）
編集協力／岡本茉衣
図表・DTP／横内俊彦
校正／池田研一

CHAPTER

01

フリーランスの誤解と注意点

知ってた？
フリーランスの基礎知識

そもそもフリーランスとは、単発の仕事ごとにクライアントと契約を結んで業務を行う働き方、もしくはそのようなスタイルで働いている人のことを指します。

このうち、税務署に開業届を提出した人を**個人事業主**と言い、法人を設立せずに個人で事業を営む人を指します。つまり、**フリーランスとして働く人が開業届を提出すると、税務上、個人事業主に分類される**のです。なお個人事業主と名乗っていても、家族や従業員など複数名で事業を行っている場合があります。しかしそれが法人でない限り、個人事業主と言われます。

業務委託とは？

フリーランスが仕事を受注する際のひとつの働き方として、業務委託というものがあります。特定の業務を、社外の法人または個人に委託する契約のことを指します。業務を行ってもらう、あるいは成果物を納品してもらう対価として報酬が支払われるというものです。雇用契約ではないため、勤務時間や休日などは定められません。

業務委託には次の３つの種類があります。

❶ 委任契約

委託者が法律行為を受託者に委託する契約です。弁護士、税理士が例に挙げられます。

② 準委任契約

法律行為以外の事務を受託者に委託する契約です。事務仕事だけでなく、コンサルティング、セミナー講師、広告・宣伝、医師の医療行為などが挙げられます。

③ 請負契約

受託者が業務を完成させ、その対価として委託者が報酬を支払う契約です。委任契約、準委任契約では業務の履行自体に対して報酬が支払われますが、請負契約では成果物に対して報酬が支払われます。途中まで仕事を進めていたとしても、成果物が納品されなければ報酬は発生しません。

フリーランスと源泉徴収について

報酬を支払う際に、年間の所得に対してかかる所得税を差し引くことを、源泉徴収と言います。事業を行う企業は、従業員の給与から源泉徴収を行う義務があります。

個人が業務委託契約によって報酬を得る場合、すべてが源泉徴収の対象というわけではありません。

- **原稿料や講演料**
- **特定の資格を持つ人に支払う報酬・料金**

などは源泉徴収の対象ですが、ITエンジニアが業務委託契約で行う要件定義やプログラミングは対象外となります。

源泉徴収の税率は、報酬額によって次の２種類に分かれます。

報酬額が 100 万円以下の場合：税率＝ 10.21%
報酬額が 100 万円を超える場合：税率＝ 20.42%

源泉徴収は所得税の前払いなので、払いすぎないよう確定申告の際に調整をする必要があります。

通常であれば、１月頃に企業から源泉徴収の額が書かれた源泉徴収票が送られてきます。確定申告の際に必要になりますので、必ず保管をし、連絡がない企業からは送ってもらうように声をかけてみてください。

こんな誤解は今すぐ捨てて！

フリーランスのリアル

大変？　不安定？
フリーランスに対するよくある誤解

フリーランスに対して誤解を抱いている人は多いと思います。会社員としての人生しか知らないと、会社に所属せず、お給料を毎月もらえない生活は想像しづらいでしょう。

そのためここでは、フリーランスに対する、よくある誤解を紹介します。

会社員と違って不安定？

人によりますが、すべてのフリーランスが不安定なわけではありません。私の場合、多くのクライアントとお付き合いがあり、継続的にお仕事をいただいています。毎月の収入は確かに一定ではないのですが、生活できるだけのお金は安定して入ってきます。きちんと戦略を立てれば、月収の変動が大きくなってしまうようなことはありません。

フリーランスは孤独？

一人で仕事をしたいフリーランスの方もいますが、仲間と仕事がしたいのであれば、いくらでも人脈を広げられます。私はスクールやコミュニティに入ってフリーランスの友人をつくりました。また、これはという経営者の方と会食をし、信頼関係を築くようにしています。

フリーランスにとって、仲間やクライアントの方と情報交換ができる環境を作っておくことはとても大切です。

いつも忙しいのでは？

フリーランスは一人社長です。ただし、すべての仕事を自分でしなければならないわけではありません。必要に応じて業務の一部を外注したり、仲間と業務を分担したりするなど、いくらでも工夫は可能です。そうしたシステムをつくり上げてしまえば、時間に余裕ができます。

そのため、もし「お金がないから」「体力がないから」「子どもが多いから」などの理由で、自分はフリーランスになれないと思っているのならば、それはもったいないことです。工夫次第でいくらでも自由に仕事ができるので、諦めないでください。

会社員よりも楽？

時間やお金に余裕があるフリーランスを見ると、会社員よりも楽な生活を送っているように見えるかもしれませんが、もちろんそんなことはありません。市場の変化についていけるよう、常に勉強し続けなければならないし、自ら営業をかける努力も必要です。また、自分の時間を使って人に会いに行き、情報交換もしなければなりません。

よく、「フリーランスになって月収数千万円！」という誇大広告を見かけますが、そんなにうまい話であれば、誰もが成功しているでしょう。私を含め、仲間のフリーランスは、本当に大変な努力をして仕事を続けています。

出産や育児で仕事を諦めなくてもいい？

フリーランスとして出産・育児をしている方は非常に多いです。仕事の時間や場所に縛られないので、家族と過ごす時間がとれます。長期的な計画も立てられるため、切り替えがうまくできれば、子どもとの時間を優先しながらも働くことができます。

こんなにある！
フリーランスのメリット

フリーランスには、会社員にはないさまざまなメリットがあります。ここでは、私がフリーランスとして働く中で感じた利点を紹介します。

フリーランスのメリット

時間と場所に縛られない

最大のメリットは、**好きな時間に起き、好きな場所で仕事ができる**ということです。

私の今の生活は、起床が9～10時です。朝一番にパーソナルジムに行き、1時間ぐらい汗を流します。その後ご飯を食べ、12時頃から仕事を開始します。家で仕事をする場合もあれば、カフェ、ホテルのラウンジで作業するときもあります。ワーケーションのようにホテルの一室を借りることもあり、飽きません。16時～17時ぐらいまで仕事をした後は、仲間やクライアントの方と会食。会食はだいたい週に2回ぐらいです。21時以降は自由時間で、岩盤浴に行くこともあります。

昨日は仕事を頑張ったから今日は昼まで寝よう、と体調を整えられますし、朝にゆっくり家事をすることもできます。家族がいる方なら、子どもが寝た22時以降を仕事の時間にすることも可能です。

一方で、提出した仕事に修正が入ることもあります。週末を休みにしようと思っていたのに、急に仕事が入って対応せざるを得ないというのは、フリーランスのデメリットの一つでしょう。

ただし、きちんと仕事をしていれば、ものすごく大きな修正が発生することはありません。数時間で対処できるはずなので、「休みが丸々潰れてしまった！」ということは、私はあまりありませんでした。

いつでも家族旅行ができる

私の実家は滋賀にあります。東京で会社員をしていたときは、家族に会いたいと思っても、週末の時間だけでは足りませんでした。

フリーランスになった現在は、大阪に引っ越したこともあり、好きなときに好きなだけ家族と会っています。特に祖父と祖母はいつも私の仕事を応援してくれており、会うとパワーをもらえます。

ある程度の収入を得られるようになってからは、家族を何度も旅行に招待できるようになりました。会社員時代には実現などあり得なかったので、大好きな家族と一緒に思い出を作れることの幸せを噛み締めています。

もちろん、一人でふらりと旅に出て、旅先で仕事をすることもあります。素晴らしい景色を見ながら仕事をするのは、本当に最高です。

値段を見ずに、好きなものを買える

会社員のときは、かわいい洋服を見つけても諦めることがほとんどでした。今はそれがありません。「このブランドならワンピースはこれくらいの価格だろう」と予想がつくので、値札を見ることなくそのままレジに持って行きます。化粧品、家具などから食料品まですべて、値段を見ることなく買い物ができるようになりました。

自分が好きな洋服を着たり、好きなものを身の回りに置いたりすると、幸福度が高まります。

ただ、浪費癖のある人はフリーランスには向きません。買い物が人生の目的にならないよう注意してください。

好きな人としか付き合わずに済む

仕事が軌道に乗ると、お客さまを選べるようになります。自分に合うクライアントとしか付き合わないので、我慢をしながら仕事をするということがありません。仕事仲間も同様です。

会社員の場合、嫌いな上司や先輩から自分を否定されるような言葉をかけられることも多いでしょう。ハラスメントのターゲットにされたり、いじめに遭ったりするリスクもあります。しかし、フリーランスは嫌な人と付き合わずに済むので、自尊心が削られることはありません。

むしろ、自分に自信が持てるようになります。フリーランスを続けるということは、ビジネス上の目標を達成し、自分にできることが増えるということ。仕事がうまくいくほどに、自分に自信を持てて余裕も生まれていくのです。

あなたは
フリーランスに向いている？

最低限のPC・スマホスキルがあれば十分！

Webのフリーランスには、Web制作、SNS運用、ライティングなどさまざまな種類があります。マーケットがとても活発で仕事が多く、スキルをつければつけるほど収入が上がります。また、未経験の方が多く、参入のハードルが非常に低い業界でもあります。副業から始めて、収益が出るようになってきたからフリーランスとして独立する、というロードマップも立てやすいです。

Webのフリーランスに関しては、基本的に向き不向きはありなく、誰でも始められます。**パソコンを最低限扱える、スマートフォンの基本操作ができる、SNSを見られる、Zoomで打ち合わせができる**という程度のスキルがあれば十分です。SNSに関しては、投稿せず閲覧だけという方でもまったく問題ありません。

中でも、後ほど詳しくご紹介する**「SNS運用代行」**の仕事は、才能やセンスが必要ありません。きちんと勉強して知識を増やしていけば、必ず誰でも仕事ができるようになります。
その上で、次のような能力があると望ましいです。

報連相ができる

クライアントワーク（依頼者がいる仕事）なので、顧客（依頼者）にきちんと対応できるという、社会人としての基礎力は必要です。中には、人と接するのがあまり得意ではないという方もいるかもしれませんが、大丈夫。最低限のコミュニケーションスキルがあれば食べていくことはできます。ただし、月収100万円程度を目指すとなると、やはり会話力や交渉力など、＋αのスキルが問われることになるでしょう。

営業ができる

あるとベターなのが営業力ですが、それほど難しいものではありません。営業力とは、クライアントに「この人に頼めば問題が解決されるな」と思わせる**提案力**と捉えてください。営業が未経験でもまったく問題ありません。

ストイックに自分を追い込める

ストイックな人はフリーランスに向いています。私のように「ゆるく働く」を目標にしても、その状態に到達できるまで、ストイックにならなければいけない期間というのは必ずあります。フリーランス仲間にも、「理想の働き方を叶えるまでに、ものすごく努力した！」という人が多いです。そこで自分を追い込める人というのは、何をしても強いです。勉強する努力を惜しまない、頑張るべきときに頑張れるというのは、フリーランスにも必要な資質です。

自分の価値を主張できない人は向いていない

一方で、こんな人はフリーランスに向いていないでしょう。

自己管理ができない人

決めた時間に起きられない、約束の時間が守れないという人は、仕事に支障が出ます。会社員とは違い、誰かが生活を管理してくれるわけではないからです。

浪費癖のある人

フリーランスには、もちろん退職金や年金がありません。貯金をせずにブランドものを買ったり、必要以上に交際費などに使ったりしてしまうような人は、いずれ破産します。そのため、ある程度は自分でお金のマネジメントができるとよいでしょう。

周囲に影響されてしまう人

周囲の環境や友達の意見に引っ張られてしまうような人も、あまり向いていません。周囲が安定した職業の人ばかりだとしても、不安や嫉妬にかられずマイペースに人生を歩めるようでないと、精神的にも厳しいかもしれません。

自分を安売りしてしまう人

自分の価値を見極められない人も要注意です。

仕事というのは「労働」という価値と、「お金」という価値の交換なので、クライアントと自分の関係はWin-Winであることが望ましいです。しかし、「自分はまだ駆け出しだから」

と単価を上げられなかったり、「ここはサービスします」と無料で引き受けてしまったりすると、労働時間が長いのに稼げないという負の状態に陥ります。そうして経済的に苦しくなり、辞めていくという人を私は何人も見てきました。

クライアントとLose-Winの関係になってはいけません。**自分の「適正価格」**を主張できない人は、長く働き続けるのは厳しいです。

今、会社員として働いていて結果が出ていないという人は、ぜひフリーランスを検討してほしいと思います。会社員は意外に向き不向きがあります。組織で働くよりも一人で働くほうが伸び伸びと働けて、才能が開花したという人も多いです。反対に、組織の中で働くのが楽しいし、特に文句もないという人は、フリーランスになる意味は薄いかもしれせん。

学生・主婦からフリーランスになれる！

多くの人が社会人を経験してからフリーランスになると思いますが、実は社会人経験は必須ではありません。

報連相ができる、失礼のないメールが書ける、名刺のマナーが身についている、敬語の知識があるといった基礎があれば、会社に就職せず、学生からいきなりフリーランスになっても大丈夫です。もしこうした基礎的なスキルがないならば、自分で補う必要があります。

また、主婦の方がフリーランスを目指す場合は、旦那さんやお子さんの了承はきちんと得ておくようにしましょう。自分が心地よく働くのに、周囲の理解は必須です。

家族との時間を大切にするために家族のスケジュールを優先したいのならば、それに合った業務を選ぶといいでしょう。夕方から夜は家族の時間なのに、クライアントとのミーティングが入るような業務は、目指すライフスタイルに合っていません。誰しも最初から理想の生活が送れるわけではありませんが、少しずつ目標に近づけるようにしてみてください。

実はHSP（繊細さん）におすすめ

ここまでフリーランスに向いていると考えられる人の特徴を紹介してきました。この説明を読んだ方の中には、基礎力や自分に芯があり、自制心もある人が向いているのか……と、なんだか思った以上にしっかりしている人でなければならないように感じた人もいるかもしれません。

それでは、フリーランスは心身が強い人しかなれないのでしょうか？

結論から言うと、まったくそんなことはありません。私自身はHSP、いわゆる**「繊細さん」**です。

HSP（Highly Sensitive Person）とは、視覚や聴覚などが敏感で刺激を受けやすいという特性を生まれつき持っている人のこと。全人口の15～20％はHSPといわれています。刺激に対する反応が強く、心身が疲れやすかったり、他人との心の境界線が薄く、怒りやイライラなど相手の感情の影響を受けてしまったりします。

私は会社員時代に、この特性のせいで苦労をしました。上司が不機嫌だと、自分のせいではないかと感じて過剰にビクビクしてしまい、人の顔色を窺（うかが）う癖もありました。話し声や電話の音など、周囲の雑音が耳に入りやすく、自分の仕事に集中できないというHSPの症状にも悩まされました。

しかし、Webのフリーランスは家で仕事ができますし、常に気を遣わなければならない上司もいません。四六時中電話がかかってきて、必ず対応しなければならないこともありません。繊細さんにとっては本当に向いている働き方だと思います。

ちなみに、私が独立を検討していた際、フリーランス秘書も候補になりました。HSPの私の場合、ボスとの相性が合わなかったり、フルリモートでなかったりしたらつらいと思いやめたのですが、向いている人にはいい選択肢だと思います。

失敗だって、大事な一歩！

失敗から学び、繰り返さないために

失敗からみる成功のコツ

フリーランスとして仕事を始めて、もちろんいいことだけではなく、失敗したと思うこともありました。

失敗と言っても、何もネガティブなことだけではありません。失敗から見えてくることもあるからです。私は、ここで紹介する失敗を繰り返したからこそ、今の成功があると思っています。

読者の皆さまには、私の失敗から、成功への近道を見いだしていただきたいです。そのためここでは、フリーランスになるにあたっての注意点を紹介します。

貯金は生活費５カ月～１年分を目安に

私の失敗の一つは、貯金が少ない状態で独立をしたことです。常に危機感を抱きながら仕事をしたり営業をしたりするのは、大きなストレスでした。

そのため、フリーランスを始めるための貯金額として、まずは生活費５カ月分を目指してください。５カ月分ぐらいあれば、目先の利益を求めず、長期的な視野で仕事を選べるでしょう。５カ月分を達成したら、さらに貯金をして１年分を目指してください。資産運用もすべきですが、優先順位としては貯金のほうが上です。

フリーランスの出費で、最も大きいのが家賃です。実は家賃に関して失敗した経験があります。よく「固定費を上げると、『この固定費以上は稼がなければ！』と緊張感が生まれるから、稼げるようになる」と言いませんか？　私はそれを真に受け、家賃が高い家に引っ越したところ、大変な思いをしました。いい家に住むことで、生活の質が上がったり、仕事のクオリティやモチベーションが高まったりすることはあるでしょう。ただし、人は家や生活にやがて慣れていきます。

私は現在大阪に住んでいますが、1カ月の家賃が15万円以上する家には住まないと決めています。収入の三分の一が家賃の目安と言いますが、フリーランスは月収が一定ではないので、当てはまりません。どれほど稼いでも、**家賃に上限を設けておく**のは重要でしょう。

無駄遣いをせず地道に働くのが、貯金を増やす一番の近道です。

なお、賃貸物件を借りる際、フリーランスは審査に落ちる場合があります。貯金額を増やしたり、フリーランス仲間の紹介で不動産業者を選んだりするなど、対策を立てるようにしてください。ローンなども同様です。

不安に駆られて教材を買いすぎない

独立する際に、不安に駆られて教材を買いすぎたり、不要なスクールに入学したりしたのも失敗でした。

特にWebのフリーランスの場合、さまざまな事業者がスクールビジネスに参入しているので、カモにならないようにしてください。

スクール選びに際しては、**実績がきちんとあるかどうか、代**

表者の氏名とプロフィールが公開されていて、**自分の目指す仕事内容やライフスタイルに合っているか**を確認しましょう。

特にスクール代表者のSNSはきちんとチェックし、考え方や仕事の価値観に共感できるならば、入学を検討してください。

スクールの目指す方向が自分と合わないと、せっかく他の受講生と知り合っても横のつながりができない上に、最悪の場合、事業そのものを諦めるような事態になりかねません。

受講料も決して安くないので、慎重に選んでほしいと思います。

人脈をつくるために交流会に参加する

フリーランスは、自分で仕事を見つけてこなければなりません。その際に大切なのが人脈です。

独立当初は東京に住んでいたのですが、なかなか仕事仲間が見つからず、人脈ができないことがネックでした。大阪に引っ越したのを機にスクールやコミュニティに入ったところ、どんどん知り合いが増え、仕事が舞い込むようになったのです。

スクールやコミュニティ以外に人脈を増やす近道は、**交流会に参加する**ことです。交流会では、仲間だけでなくお客さまも見つかります。Webのフリーランスは SNSなどオンライン上の付き合いを重視しがちですが、本当に困っていて、こちらが解決策を提供すべきお客さまというのは、アナログでこそリーチができます。このような方は、アナログを重視しているからこそオンラインに疎いため、Webのフリーランスにとって大切なお客さまになります。ぜひ積極的に会って話すようにしましょう。

交流会の情報は、Facebookから得られることが多いです。ただ参加をクリックするだけでなく、交流会の主催者とつながっておき、交流会が開催されるごとに連絡がくるようにしておきます。

Google検索の場合は、「滋賀　ビジネス交流会」など、住んでいる地域のワードを入れて探してみてください。

ただ、交流会に参加しても、名刺をもらうだけで仕事につながらないと悩むフリーランスもいるかもしれませんね。

コツとしては、**自分がターゲットにしたいお客さまを決めておき、重点的にアプローチする**ことです。

例えば、「今日は美容関係の方と知り合いになろう」と事前に決め、会場では美容関係のお客さまを探し出します。見つかったら、自分がいかに美容業界に詳しいか、美容関係のSNS運用で実績を残しているかをお伝えします。業界の話をきちんとできると、相手も「SNSはやっているけれど、なかなか集客できなくてね……」という悩みを打ち明けてくれます。そこで、なぜSNS運用代行が効果的か、という方向に話を持っていくわけです。

なお、特に自分に興味を持ってくれたなという方には、交流会の後にフォローメールも送ってみてください。

交流会はせいぜい2～3時間です。漫然といろんな人と喋るだけでは、相手の印象には残りません。効果的に機会を利用するようにしましょう。

失敗に飲み込まれず、冷静に分析する

フリーランスが仕事で失敗すると、収入減少に直結します。トラブルや失敗が起きたとき、どう学びどう改善していくか

というのは、会社員以上に重要です。

まずは、**なぜ失敗が起きたかという事実をきちんと見つめる**ようにしてください。誰しも自分の失敗を認めたくないので、つらい作業だとは思いますが、ただ悩んだり落ち込んだりするだけでは何も変わりません。

そこから、どうしたら失敗が避けられたのか、今日からどうすれば改善できるかを徹底して考えます。ただ頭の中で考えるだけでなく、**ノートに書き出す**のも大切です。

例えば、ダイエットの場合。まず、なぜ太ってしまったか原因をあぶり出します。そして対策として、お菓子を食べない、炭水化物を抜く、運動を毎日するなど、効果的だなと思うものをすべて書き出します。最後に、実際にできそうなものを絞って実行します。

自分が改善のためのアクションを起こせるよう、具体的な対策に落とし込むのが大切です。

何かがあったとき、それは常に原因があるという考え方を**「因果の法則」**と言います。失敗してしまったという負の感情に流されず、冷静に原因を分析するようにしましょう。

最低限これだけ知っておこう！

フリーランスのお金管理

フリーランスにとって、お金の管理は仕事の一つです。とはいえ、お金の管理は難しい上に、何から手をつければいいのかわからないという人も多いでしょう。

ここでは、フリーランスに最低限必要なお金の管理方法やポイントを紹介します。

Google スプレッドシートで収入を確認する

❶ 収入管理

会社員は基本的に収入の柱が１本だけですが、フリーランスは収入の柱がたくさんあります。そのため**収入は必ず見える化**しましょう。

おすすめは、Google が提供する表計算ソフトである Google

収入管理

収入管理

ファイル 編集 表示 挿入 表示形式 データ ツール 拡張機能

100% デフォ…

L24 fx

	A	B	C	D	E
1	2023年１月		目標金額：	¥500,000	
2		企業名	入金額		
3		A社	¥100,000		
4		B社	¥10,000		
5		C社	¥50,000		
6		D社	¥150,000		
7		E社	¥10,000	計	目標差額
8		F社	¥300,000	¥620,000	120,000
9					
10	2023年２月		目標金額：	¥600,000	
11		企業名	入金額		
12		A社	¥100,000		
13		B社	¥15,000		
14		C社	¥50,000		
15		D社	¥150,000		
16		F社	¥300,000	計	目標差額
17				¥615,000	15,000
18					
19					

← この金額から次月の目標金額を決定する

スプレッドシートに**「どの会社からいくら入ってきたか」を月ごとにまとめる**こと。それを踏まえて、来月の目標金額を決めます。目標金額を達成するためには、**どのぐらい営業をし、うち何件の成約があればいいかを計算**します。

また、売上額が大きいクライアントに対しては、自分がきちんとフォローできているかを確認し、継続して仕事をもらえるか、紹介などで仕事が広がる可能性があるかも考えます。

② 支出管理

支出管理に関しては、**家計簿アプリ**がおすすめです。アプリは何でもいいのですが、どこにどのぐらいのお金を使ったか、**ジャンル分け**できるものを選びます。グラフを見ながら、使いすぎている項目を減らすようにしましょう。

支出が適正かを確認するときは、そのお金が**「投資」「消費」「浪費」のいずれに当てはまるかをチェック**することがポイントです。

投資とは未来に対するお金で、後にリターンがあります。クライアントと食事に行き、関係を築くことで仕事がもらえるようになるならば、それは投資です。仲間やお客さまとの情報交換も同じ。自分の技術・知識を増やすのも投資です。

また、時間や労力を短縮するためにお金を使うならば、それは投資です。例えばタクシーは、一見するともったいないのですが、電車よりも早く着く場合もありますし、満員電車で不快な思いをせずにすみます。混雑する電車の中、立ちっぱなしで心身を消耗するよりも、快適なタクシーの中で仕事をしたほうが利益になることもあるでしょう。家事をする時間を仕事に使うため、家事代行サービスを依頼したり、ウーバーイーツを使ったりすることも投資です。
「もったいない」と節約することが必ずしも正しいわけではありません。ただし、**費用対効果**は厳しくジャッジしてください。

なお、私は絶対にお店のポイントカードを発行しません。発行にかかる時間が無駄ですし、ポイ活（ポイント活動）するぐらいなら、その時間を仕事に充てたほうがよほど得です。
消費とは、食費や生活のための必要経費など、生きるために必ずかかるコストを指します。浪費は、贅沢品や嗜好品などの無駄遣いです。このうち、浪費をできるだけカットし、投資を増やすようにしてください。

単価は安くても OK！　ただし自分が成長できるか考える

仕事を始めるときには、クラウドワークスやランサーズなどで相場を確認しましょう。ただ、フリーランスとしての経験が浅かったり、実績があまりなかったりする場合、単価が安い仕事しかもらえない場合があります。
駆け出しの段階で単価が安いのは仕方がないことだと思います。ただし、**お客さまは選ぶ**ようにしてください。単価を安く設定しているところほど、マナーが悪かったり、とんでもない要求をしてきたり、要求がコロコロ変わったりと、こちらを軽んじるクライアントが多いのです。
仕事を通して自分の能力を高められ、能力に応じて単価も上げてくれるようなクライアントを選ぶようにしてください。

単価の設定方法はそれぞれですが、私の場合は**時給換算**をしていました。独立した段階で、時給換算をしたときに 1,500

円を下回る仕事は選びませんでした。単価は比較的高いけれど、作業時間がものすごく多くて、時給換算すると1,000円以下という仕事は避けるようにしましょう。漫然と仕事をするのではなく、時給を計算できるように**作業時間をメモ**しておいてください。

ただし、例外もあります。仕事を通して技術が身についたり、高い技術を持つ人と一緒に働いて学べたりする案件は、設定した時給より安くとも、ぜひ引き受けてください。勉強代として、時間とお金を投資すると考えるのです。

フリーランスとして覚えておきたい！

確定申告

先ほど、フリーランスで最低限必要なお金の知識を紹介しました。フリーランスを目指している人であれば、さらに気になる話を耳にしたことがあるはず。そう、「確定申告」「フリーランス新法」「インボイス制度」です。

とはいえ、何がなんだかわからない。自分がどこからどこまで知っておくべきなのか、どんな対応をしなければならないのかもわからない。その上、誰に聞けばいいのかすらわからない……。と、不安に思っている人は多いことでしょう。

ここから、そんな疑問や不安をスッキリ解消できるように、それぞれを簡単に解説していきます。

どこからどこまでが経費？ 確定申告で気になる素朴なギモン

事業所得が48万円以上あるフリーランスや個人事業主は、確定申告をする必要があります。

確定申告は1年に1回行います。個人事業主の場合は1月1日〜12月31日の所得および所得税の額を計算し、原則として翌年の2月16日〜3月15日の間に税務署に申告します。

フリーランスは自宅をオフィスとして使ったり、打ち合わせに利用したカフェの飲食代を支払ったりしますが、確定申告をするとこれらを経費として計上することができます。正確な経費計上をすることで、所得税がかかる「所得」を減らすことができます。なお、源泉徴収や予定納税で、所得税を納税しすぎていた場合は還付金となって手元に戻ってきます。

確定申告には、主に**「青色申告」**と**「白色申告」**があります。

白色申告の場合、事前の届出は不要で提出書類も少なくてすみますが、節税面のメリットはほとんどありません。

一方で青色申告は、事前に開業届と申請書の提出、そして決算書の作成が必要ですが、大きな節税効果があります。

なおフリーランスの場合、**確定申告の控えを収入証明書の代わりとして利用できます**。日常生活のさまざまな場面で提出を求められることがあります。

確定申告を行う義務がある人が確定申告をしなかった場合、本来納めるべき税金の他に、延滞税や無申告加算税、重加算税などが徴収される場合があるので気をつけましょう。

参考文献：『はじめての人のためのフリーランス節税事典』（横山光昭／アスコム）

確定申告は煩雑で面倒な作業ではありますが、難しいものではありません。

ここでは、確定申告をする際に覚えておくと便利なTipsを、フリーランス協会代表理事 平田麻莉さんに教えていただきます。

年収いくらから税理士に確定申告を頼むのが適当なのか？

一概にいくらという目安はありません。ご自身の帳簿づけに自信があれば、収入の多寡に関わらず税理士は不要です。一方で、帳簿づけや確定申告が不安な方や、確定申告にかける時間がもったいないと

思う方は税理士に依頼するのがいいと思います。

一点気をつけたいのは、「税理士に頼む費用がもったいない」と自分自身で確定申告をしたとしても、その時間で本来の業務を行えたとしたら、税理士に頼む費用よりももっと稼げたかもしれない場合があるということです。

クラウド会計サービスを使いこなせる方は、自分でもそこまで時間をかけずに申告できますが、レシートの整理や入力、仕分けの作業など、昔ながらのやり方をする場合はかなりの時間を要します。

例えばライターであれば、確定申告にかかる時間に記事を何本書けるかと考えて、それで得られる収入が税理士費用とトントンかそれ以上であれば、税理士に頼んだほうがいいという判断になります。

投資、浪費、消費という考え方に照らし合わせても、税理士にかかる費用は投資に当たります。「もったいない」という言葉に惑わされず、費用対効果を冷静に考えてみるべきでしょう。

海外の取引先と仕事をする場合どこからどこまで経費になるのか？

ケースバイケースなので、厳密には税理士に確認していただければと思いますが、一般的に仕事に関わる出張の場合、航空券と宿泊費、交通費はすべて「旅費交通費」になります。

食事は場合によります。その飲食店自体が取材先（記事で紹介するなど）の場合は「取材費」、仕事関係者と食事をしながら打ち合わせをしたなら「会議費」、仕事関係者を接待した場合は「接待交際費」になります。ただ、一人で食事した場合、および知人・家族と食事した場合は、たとえ書類を作成したり、打ち合わせの内容を考えたりしながら食事したとしても、経費には該当しませんのでご留意ください。

なお2023年度の申告から、記帳や帳簿書類保存に不備があった場合、ペナルティが重く課されるようになりました。これは会社員にも適用されます。

2023年度より、会社員の副業でも申告においてさらなる注意が必要になるというのは気をつけたい点です。まだ不確定要素が多い部分なので、もしもの事態に備えて、少額の副業であっても書類を保存したり記録を残したりしておきましょう。

なお、外出先のカフェなどでデスクワークを行う場合の経費扱いについては、フリーランス協会の右記の投稿が参考になります。

フリーランス協会note
「飲食にまつわる経費の疑問」
https://note.com/frepara/n/n6022b7ac1f7d

経費の項目についての考え方は、税理士によっても異なります。お金の勉強をしっかりとして、地に足をつけたフリーランスを目指したいものです。

法人取引のある免税事業者にとっては影響大

インボイス制度

2023年10月1日からインボイス制度が始まりました。この制度により、企業はもちろん、フリーランス（個人事業主）も大きな影響を受けることになります。

インボイス制度について、以下のWebサイトを基に簡単にご説明します。注意点などをここでしっかり確認しておきましょう。

政府広報オンライン
「暮らしに役立つ情報（インボイス制度）」
https://www.gov-online.go.jp/useful/article/202210/1.html

フリーランス協会note
「インボイス制度が始まると、つまり何がどうなる？」
https://note.com/frepara/n/n1154f6fc18e2

今すぐインボイス登録事業者になったほうがいい？

インボイス制度とは、**「インボイス（適格請求書）」と呼ばれる一定の記載事項を満たした請求書などを交付し、保存する新しい制度**です。

インボイスを交付できる事業者は？

インボイスを交付できる事業者は、税務署長から登録を受けた**「インボイス発行事業者（適格請求書発行事業者）」**に限られます。消費税を納める事業者（＝課税事業者）のみ登録を受けることができます。

また売手は、買手（課税事業者に限る）の求めに応じてインボイスを交付し、その**写しを保存しておく**必要があります。一方、買手は交付されたインボイスを保存することで、**仕入税額控除を受けることができます**。

何を準備すればいいのか？

【売手（インボイス交付側）】

売手がインボイスを交付するためには、**税務署に登録申請書を提出し､「適格請求書発行事業者」として登録を受ける**必要があります。ただし、登録を受けることができるのは**課税事業者だけ**ですので、現在免税事業者の場合は、まず、課税事業者になるための手続きが必要となります。

【買手（インボイスを受け取る側）】

仕入税額控除を受けるためには、インボイスなどを保存しておくことが必要になります。なお、仕入先の事業者がインボイス発行事業者でない場合、インボイスの交付を受けることはできません。

継続的に取引を行う取引先については、インボイス制度開始前にインボイス発行事業者となる意向について確認しておく必要があります。ただし、**免税事業者からの仕入れでも控除を受けられる６年間の経過措置**があります。

フリーランスにはどのような影響があるのか？

売上1,000万円未満で消費税納税義務が免除されていたフリーランスは､課税事業者となりインボイス登録をするか､免税事業者のままでいるかを選択しなければなりません。

課税事業者となった場合、これまで免除されていた消費税の納税（令和８年分申告までは特例措置により売上全体の約2%、令和９年分申告からは簡易課税制度５種の適用で売上全体の約5%を納税）をしなければならないため、減収につながりかねません。一方で免税事業者のままでいる場合、発注者側（取引先）は仕入税額控除がされないため「割高だ」と感じられてしまい、課税事業者のライバルに仕事を取られる可能性が出てきます。

しかし、免税事業者に仕事がこなくなるような事態は本当に発生するのでしょうか？　フリーランス協会代表理事 平田麻莉さんにうかがいました。

出版や文化芸術など一部業界において、課税事業者転嫁が強要されている（違法行為）、免税事業者切りが行われているなどという噂もありますが、免税事業者に仕事がこなくなるかどうかは、業界やその方の市場価値、取引先との関係性などによるかと思います。

多くのフリーランスは、普段からいかに他者と差別化して仕事を獲得するかを考え、工夫したりスキルアップを図ったりしているでしょう。取引先から指名を受けて働いているフリーランスは、基本的にその能力を買われているということであり、2%のコスト増（報酬増額）を避けるために代わりを探すスイッチングコストは、取引先にとっても割に合わないはずです。

そのため、取引先との関係性や業界構造的に、自分の仕事が価格競争だけで成り立っているわけでないならば、必ずしも急いで登録せず、しばらく様子を見てもいいと思います。

率直に言えば、フリーランスにとって、インボイス制度は歓迎できるものではありません。免税事業者にとっては、なくてすむならないほうがよかったというのが偽らざる気持ちでしょう。ただ、残念ながら６年前の法律で導入が決まり、すでに施行されている制度なので、少しでも前向きにとらえるとするならば、インボイス制度導入を機に2%＋αの値上げ交渉をして、適正報酬を目指していくきっかけとすることはできるかもしれません。

一口にフリーランスと言っても、取引先が一般消費者か企業か、あるいは免税事業者かによっても事情が異なってきます。インボイス制度をしっかりと理解し、制度に対する自分のスタンスをよく考え、損をしないように行動したいものです。

フリーランスの盾になる法律！

フリーランス新法

契約内容を示した書類が義務に

日本のフリーランス人口は、約462万人と試算されています（2020年内閣官房日本経済再生総合事務局「フリーランス実態調査結果」)。働き方の多様性が注目される昨今ですが、フリーランスで働く人々への社会保障や法的保護は、まだまだこれからと言えるでしょう。

その中で、2023年4月28日の参議院本会議で**「フリーランス新法案（特定受託事業者に係る取引の適正化等に関する法律案)」**が全会一致で可決されました。

ここでは、右記のサイトの記事を基に同法案について簡単に説明をします。

フリーランス協会ニュース
「フリーランス新法が成立しました」
https://blog.freelance-jp.org/20230428-18420/

対象

フリーランスの中でも企業相手にBtoBで仕事をしている「特定受託事業者」の取引です。個人事業主はもちろん、法人化しているフリーランスも含まれます。

フリーランス新法案(特定受託事業者に係る取引の適正化等に関する法律案)

2．特定受託事業者に係る取引の適正化

（1）特定受託事業者に対し業務委託をした場合は、特定受託事業者の給付の内容、報酬の額等を書面又は電磁的方法により明示しなければならないものとする。

※従業員を使用していない事業者が特定受託事業者に対し業務委託を行うときについても同様とする。

（2）特定受託事業者の給付を受領した日から60日以内の報酬支払期日を設定し、支払わなければならないものとする。(再委託の場合には、発注元から支払いを受ける期日から30日以内)

（3）特定受託事業者との業務委託(政令で定める期間以上のもの)に関し、①～⑤の行為をしてはならないものとし、⑥・⑦の行為によって特定受託事業者の利益を不当に害してはならないものとする。

[第5条]
①特定受託事業者の責めに帰すべき事由なく受領を拒否すること
②特定受託事業者の責めに帰すべき事由なく報酬を減額すること
③特定受託事業者の責めに帰すべき事由なく返品を行うこと
④通常相場に比べ著しく低い報酬の額を不当に定めること
⑤正当な理由なく自己の指定する物の購入・役務の利用を強制すること
⑥自己のために金銭、役務その他の経済上の利益を提供させること
⑦特定受託事業者の責めに帰すべき事由なく内容を変更させ、又はやり直させること

※一部抜粋

取引条件明示の義務化

これまでは口約束で行われることが多かった仕事の取引も、発注者は仕事の内容を双方が記録として参照できる形**(契約書、発注書、メール、チャットなど)で残す**ことが求められます。これは、**フリーランス同士の取引でも必要**になります。

支払い期日

発注者は、フリーランスが**業務を完了・納品してから60日以内に報酬を支払う**必要があります。再委託の場合は、**特定業務委託事業者が発注元から支払いを受ける予定の日から30日以内に支払う**必要があります。

禁止行為

①一方的な受領拒否、②一方的な報酬減額、③一方的な返品、④買いたたき、⑤一方的な押し売り、⑥金銭・役務などの利益提供の強要、⑦不当な変更・やり直しの強要

の以上が禁止行為ですが、具体的にどこまでが違反となるかは、遅くとも2024年秋の施行までに詰めていくことになるようです。情報の更新に注視してください。

契約の中途解除の事前予告

契約期間内に発注者から中途解除する場合は、原則として、**30日前までの事前予告が必要**になります。

私自身も、納品したのにお金が支払われなかったり、案件がいきなり拒否されたり、あるいは契約と異なることを言われたりなど、不利益を被ることはこれまでたくさんありました。

フリーランス新法により、フリーランスがより働きやすい労働環境になるのではと期待しています。

なお、フリーランスとして働く中でトラブルが起きた場合は、以下の「フリーランス・トラブル110番」に連絡しましょう（メールでも可）。

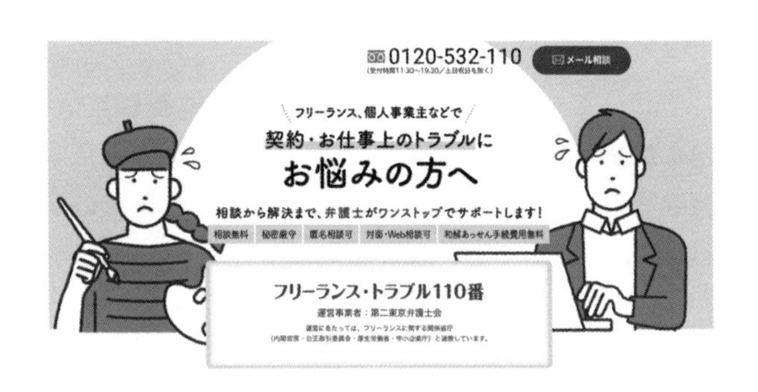

第二東京弁護士会が、フリーランスに関する関係省庁（内閣官房・公正取引委員会・厚生労働省・中小企業庁）と連携

して運営する機関です。あいまいな契約やハラスメント、報酬の未払いなどよくあるトラブルを弁護士に相談できます。相談は無料で、匿名でも利用できます。

フリーランスのトラブルで最も多いのは、報酬がきちんと支払われないということでしょう。フリーランスは立場が弱いことが多く、トラブルがあっても泣き寝入りせざるを得ないことがあります。フリーランス新法ができれば「法律で決まっていることだから、このようにしてほしい」と主張できますし、フリーランス・トラブル110番を知っていれば、専門家に直接相談し、法的な手段を取ることができます。

強い意志で自分の身を守ってください。

取材協力

平田麻莉（ひらたまり）

一般社団法人プロフェッショナル＆パラレルキャリア・フリーランス協会代表理事／株式会社アークレブ　取締役・共同創業者／フリーランスPRプランナー、出版プロデューサー、ケースライター
慶應SFC在学中にPR会社ビルコムの創業期に参画。ノースウェスタン大学ケロッグ経営大学院への交換留学を経て、2011年に慶應義塾大学大学院経営管理研究科修了。2017年1月にプロフェッショナル＆パラレルキャリア・フリーランス協会設立。自身もフリーランスで活動する傍ら、新しい働き方のムーブメントづくりと環境整備に情熱を注ぐ。日経WOMAN「ウーマン・オブ・ザ・イヤー2020」受賞。政府検討会の委員・有識者経験多数。

CHAPTER

02

フリーランスをスタートする前にやっておくべきこと

いよいよフリーランスへ！

一歩を踏み出す前に してておくべきこと

ここまで読んで、フリーランスという働き方に興味を持っていただけた方も多いかもしれません。

なるべく早くその一歩を踏み出せるよう、フリーランスをスタートする前にやっておくべきことをお伝えします。

フリーランスのスタート前にやっておくべきこと

SNSで発信する

SNSは無料で使える営業ツールであり、自分を説明するポートフォリオです。活用しない手はありません。自分の価値観を伝えられる場なので、共感してくれた人から仕事の依頼がきます。そうした依頼は非常にやりやすく、やりがいをもってできるでしょう。

また、価値観の合う人同士が自然につながるので、仲間を作れるのもメリットです。現在私が一緒に会社を経営している仲間も、信頼できる仕事仲間も、すべてSNSで知り合いました。仕事面はもちろん、精神面でも支えとなってくれる人たちです。

おすすめのプラットフォームは、やはりInstagramでしょう。理由としては、「実績がゼロだったけれど、好きなことを追求して発信し続けたら、いつの間にかフォロワーが増えた」

という状況が叶うプラットフォームだからです。間口が広く、伸びしろが無限にあります。

またInstagramは、アカウントにその人の**キャラクターを表しやすく、親近感も湧くので、アカウント同士の絆が深まりやすい**という特徴があります。

X（旧Twitter）もおすすめではあるのですが、影響力のあるアカウントにするにはかなり努力が必要です。数億円単位で稼いでいるようなビジネス強者がたくさんいるので、今から参入しても埋もれてしまう可能性が高いかもしれません。ただし、Instagramとは違って投稿は文字がメインなので、敷居は低いです。

自分のSNSアカウントに影響力があると、自然と仕事が舞い込んできます。フォロワーを得ることを最優先にしなくとも、仕事で学んだことや自分なりの哲学を発信するだけでも、仲間は増えていくはずです。長い目でアカウントを育てていってください。

メンターをもつ

独学でフリーランスになる方が大半ですが、結果が出ず諦めたり、挫折して会社員に戻ったりするケースが多く見られます。

まずはスクールやコミュニティに入り、成果を出している成功者からノウハウを得るようにしましょう。無駄な回り道をしないためにも、メンターを獲得できるスクールがおすすめです。

成功者には、必ずと言っていいほどメンターがいます。
ソフトバンクグループの創業者である孫正義氏のメンターは、日本マクドナルドの創業者、藤田田氏です。ホームランバッター松井秀喜氏のメンターは、ミスタープロ野球こと長嶋茂雄氏。サイバーエージェント社長藤田晋氏のメンターは、USEN 会長の宇野康秀氏です。成功した人には必ずメンターがいて、その人の下で学んでいます。独学で大きく成功する人なんていないのです。

メンターを持つメリットの一つに、成果を出している人から学ぶことで指針を得られるので、**自分の方向性が間違っていた場合でもすぐに修正できる**というのが挙げられます。
また、**モチベーション管理**の方法としても優れています。「ダイエットを頑張ろう！」と思っても、一人ではなかなか続かないのが普通ですが、誰かに報告したり、宿題を出されたりすれば頑張れるでしょう。
誰をメンターとするかにより、今後の人生の方向性が変わってきます。私にもメンターが二人いて、うち一人はわずか3年で年商10億円を達成したという方なのですが、その方のアドバイスは基本的にすべて聞き入れるようにしています。

なお、メンターの選定にもコツがあります。私の場合、自分よりもはるかにレベルが上の人か、そこまでいかなくとも「必ずここに到達したい」という人から学ぶようにしました。
自分がすぐにメンターのレベルに到達してしまうようであれば、メンターになってもらう必要はありません。自分の力だけでは決して届かないレベルにいる人、本当に大切な本質を掴んでいて、枝葉の部分には惑わされていない人だから、教えてもらう意味があるのです。

一方で、月の売上が20万円ぐらいの人が、年に1億円以上稼いでいる人に教わるのは、レベルが違いすぎて現実的ではありません。この見極め方は少し難しいところですね。

また、メンターと自分が**同じ価値観かどうか**も大事です。どのぐらい稼いでいるかというのももちろん重要ですが、理想とするライフスタイル、人生観、価値観が自分と似ているかという点も、大切にしてください。

副業として仕事を始めてみる

前述したように、副業として仕事をスタートさせ、軌道に乗ったらフリーランスとして独立するのが理想です。クライアントを開拓し、手元にまとまった貯金を用意しておくためにも、まずは副業として仕事を始めてみましょう。仕事をする中で、**1年後、3年後、10年後にフリーランスとして自分が働く姿を描けるかが重要なポイント**です。

行動せざるを得ない環境に身を置く

人は、安易な方向に流されやすい生き物です。フリーランスとして独立し、自分で仕事をするというのはエネルギーのいる生き方です。挫折を避けるためにも、前述したように、スクールに入ったりメンターを得たりして、**自分の行動を管理してくれるような環境に身を置く**ことはとても大切です。間違った方向にビジネスを展開していないか確認するためにも、人の目がある場所にいるのはおすすめです。

以上がフリーランスになる前にやっておくべきことですが、開業準備で特に力を入れてほしいのがSNSです。私自身、

SNS のおかげで、フリーランスの働き方が大きく変わりました。仕事のチャンスが無限に広がり、人脈を増やせるのがSNS のメリットです。ぜひとも最大限に活用してください。

フリーランスとして失敗しない！最初に実践する 7STEP

それでは、いよいよフリーランスとして独立を決めてからやるべきことをお伝えします。

STEP1　理想を具体的に描く

「理想」とは、仕事とプライベートにおける最終目標を指します。どれほど大きくとも、抽象的だとしても構わないので、**最終目標を設定**してみてください。

私の場合は、ここまで繰り返しお話してきたように、「好きな時間、好きな場所で、好きな人たちと生活できる状況を追求する」ということです。人生の過程で多少の変化はあっても、基本的な方向はブレません。

次に、**5 年後、10 年後の理想の自分を想像**します。区切りがいいところまでで構いません。私は現在 26 歳ですが、30 歳になったら、結婚・出産をしているかもしれません。そのため例えば、「子どもができたとき、仕事をどういう状況にしておきたいのか、経済的な状況はどうか。どのぐらい時間に余裕があり、どういう家庭生活を送りたいか」という、30 歳時点での理想の自分の人生を具体的に書き出します。

その後に、**1 年～ 3 年後の自分を考えます**。先ほどの 5 年～ 10 年の中期目標を達成するために、1 ～ 3 年の間に何をすべきかを考えるわけです。

ここでのポイントは、具体的な**数値目標に落とし込む**こと。例えば、独立から3年後に月間の売上目標100万円を達成したいのであれば、6カ月間でどのぐらい営業をし、大きいクライアントを何件獲得すればいいかを計算します。

理想の人生のために中期目標があり、中期目標のために短期目標があり、短期目標を達成するために、日々の行動目標を設定します。行動目標が正しく設定されていれば、それを達成するたびに理想の人生に近づいていきます。

STEP2　職業を正しく選ぶ

理想のライフスタイルを描くときに、理想のワークスタイルも思い浮かべると思います。「都心にある企業のオフィスに常駐して働く」「地方に移住してリモートワークをしたい」など、人によってさまざまな希望があると思います。その理想が叶う職業を選ぶのが重要です。

当たり前と言えば当たり前ですが、最初はどうしても報酬につられて妥協してしまいがちです。理想のワークスタイルから離れた働き方を続けるのはつらいもの。迷ったときは、自分の原点に立ち返るのも大切です。

STEP3　仕事の全体像を把握する

職業を選んだら、その**仕事の概要を確認**します。

例えばSNS運用代行の場合は、次のような流れで事業を大きくしていきます。

仕事の全体像を把握せずに、間違った方向に全力で走っている人を見かけることがあります。スクールやコミュニティ

SNS運用代行事業拡大の流れ

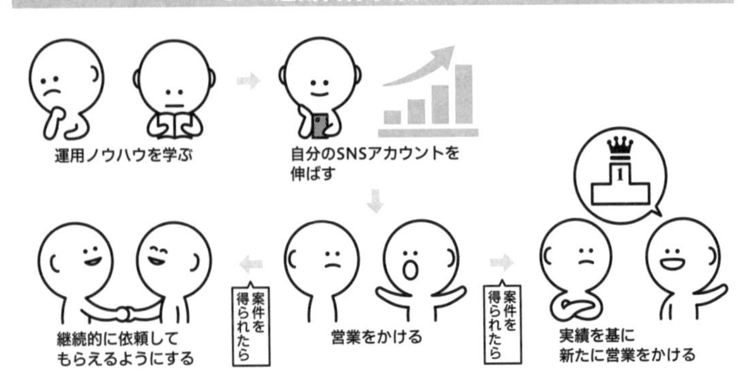

に入っておくと、仕事のフローを最短で掴むことができます。方向性を見誤らないためにも、こうした場所に所属しておくのはやはりおすすめです。

STEP4　学ぶ

全体像を把握すると、自分に今、**何が不足しているか**というのが見えてきます。自分のSNSアカウントの影響力を伸ばす段階で、ライティングスキルが足りていないようであれば、文章能力を高めます。デザインがまだまだだと思うなら、何らかの講座を受講するのもいいでしょう。

STEP5　実践して実績を出す

学んだことは必ず実践するようにします。実践すると、自然と結果はついてくるもの。実績を出し、具体的な数字としてデータを得てください。何事も、実践せずには何も始まりません。

STEP6　営業をかける

STEP5 で得たデータを基にポートフォリオを作り、営業をかけます。どのぐらい営業をかけるかは、STEP1 で出した数値目標を基にしてください。具体的な営業方法については後述します。

STEP7　継続案件を得る

いくら仕事があっても、単発の案件だけでは安定した生活はできません。継続して依頼してくれるクライアントこそ、フリーランスが最も大事にしたいものです。仕事は一度で終わりにせず、継続して発注してもらえるよう、こちらから働きかけましょう。詳細は後述します。

7STEP の中で大事なのは、**学びと実践を両輪で回す**ことです。

学んで満足して終わる方というのは意外にも多いのですが、インプットだけで終わってしまったら意味がありません。学んだことを実践し、実践した中で足りないことがあれば、さらに学ぶ。この二つを同時に行う必要があるのです。SNS 運用の場合、プロフィール作成のコツを教わったら、それをすぐに実践できる人が成長し、成果を出すことができます。

ただし、実践をする中でも、結果が出ないという時期は確かにあると思います。メンターがいればその都度修正していけるでしょう。自分一人で仕事をしている場合には、**1カ月程度はその方針のまま継続**してみてください。もしそれでも成果が出せない場合は、方針転換をすべき時かもしれません。

フリーランスの成功を決める目標設定の方法

ここまで読んできて、フリーランスにとって目標を立てることがいかに大切かということに気づいていただけたかと思います。

ただし、目標の立て方にもコツがあります。ここでは、目標設定の方法についてお話します。

フリーランスが知っておくべき目標の立て方

①自分が理想とする目標を書き出す

「今月は20万円の売上を達成したい（A)」「今月は継続的な取引先を2件増やしたい（B)」と、直近で具体的な**数値目標**を立てます。

②目標を達成するために、手段を細分化する

Aの場合、単価が5万円の仕事を4件受注できれば達成できます。Bの場合、2週間ごとに1件受注が取れるよう、営業などを積極的にしていきます。

どうでしょう。最初に出した目標が、意外に手が届くものに思えてきたのではないでしょうか。

③行動目標を立てる

Aの場合、4件の受注を得るためには100件ぐらい営業をすればいいとします。対面営業を100件行うのは難しいので、

メールで営業を行います。すると、1日にだいたい3～4件のメールを出せばいいという行動目標が生まれました。

Bの場合は、クライアントを2件増やせばいいだけです。この場合、「数打ちゃ当たる」とがむしゃらにいろんな企業へ営業をかけるのではなく、一緒に仕事をしたい企業やしたい仕事をメインに考えて、そのクライアントに関するリサーチを徹底的にして、丁寧な営業をかけます。そうすれば、2週間に1件、新規の顧客獲得は達成できそうですよね。

行動目標を正しく立てられれば、「間違った方向にがむしゃらに努力して消耗する」という事態が避けられます。

行動目標立て方の例

今月の売上げ目標は20万円にしよう

↓ 細分化（具体的にどうすればいいのか？）

5万円の案件×4件あれば達成できる！

↓ 手段を考える

メール営業を月に100件しよう

↓ 具体的な行動目標に落とし込む

1日にメールを3～4件出そう

20万円を達成するために、今日何をすればいいかがわかる

④実行する

実行してみて、もしうまくいかないようならば、①で立てた目標部分から見直すか、または③の行動目標に不足がないかを確認します。

①で立てた目標は、**自分にとって無理がないかどうか、現状からの逆算で目標が立てられているかどうかを振り返る**ようにしてください。これは、実行しなければわからないことです。

③の行動目標の見直しをする際は、例えば営業の数が足りなかったり、営業の数は足りていても成約率が低かったりする場合、**具体的にどう改善すべきか**を考えます。ここを甘くジャッジしないようにしてください。たとえある程度の契約件数が取れていても、成約率が通常の10%を下回っている場合は、**何が不足しているか**を徹底して見直します。

目標設定の際に最も大事なのは③、つまり行動目標の設定です。具体的な目標に落とし込めていなかったり、行動目標が甘かったりする人が多く見られます。**行動目標の実行、見直し、再度の実行の繰り返し**が、最初に立てた大きな目標に到達できる唯一の道です。

現在の収入が月18万円の人が、いきなり100万円にしたいと言っても難しいでしょう。とはいえ、正しくステップを踏んでいけば、1年あれば100万円は達成できると私は思っています。1年後に目標到達するために、緻密な目標設定が大事だということです。

独立後わずか数カ月で月額売上50万円を達成

ここで、私が独立から数カ月で月の売上50万円を達成したときのエピソードをお話します。

当時、私はすでに継続案件を10万円ほど抱えていましたが、「頑張ってあと40万円の売上を立てたい」と、その方法を考えました。

そのときの私の実力として、1件あたり10万円ぐらいが適当だろうと自分で見積もっていました。つまり、10万円の仕事を4件獲得できれば、目標の40万円を達成できます。

SNS運用代行の仕事を得る手段はいくつかあります。例えば初心者や駆け出しの人にとって、クラウドワークスやランサーズといったクラウドソーシングは使いやすいものです。しかし、そのときの私にとっては、すでに単価が低すぎるプラットフォームになっていました。そこで、実際に経営者に会える**交流会**や、**Wantedly**、**Yenta**という**ビジネスマッチングプラットフォーム**を利用することに決めたのです。

Wantedlyは、給与や待遇などの条件面ではなく、仕事の理念や環境で求人者と求職者をマッチングするビジネスSNSです。業務委託やフリーランスの募集もたくさん掲載されています。

Yentaは、マッチングアプリのビジネス版です。お互いに興味を持ったらマッチングし、チャットを通じて面談を設定します。それぞれのプラットフォームについての詳細な説明は後述しているので、そちらをご覧ください。

私は、最低でも**1日2回は経営者と面談**のアポを取ろうと決めました。1日2回のアポを取るために、**1日に100回は「いいね」を押した**と記憶しています。マッチングした後に、**1日に3～4件程度メッセージ**を書いてアプローチをしていました。

さらに、交流会にも参加することにしました。1回の交流会で少なくとも**2人の経営者には興味を持ってもらい、アポイントにつなげよう**という目標を立てたのです。自分のターゲットが参加しそうな交流会に、**月に3回ほど参加**しました。

この方法のコツとしては、**月の前半にYentaからのアプローチを集中して行う**ことです。アポイントが取れた場合は月の後半に約束が立て込むので、アプローチとの両立がしづらくなります。1カ月のうちにまんべんなくアプローチをかけるのではなく、**前半にアプローチを集中させ、後半にアポイントを入れて成約に結びつけます**。

このように、具体的に**「1日に○○を○回しよう」と数値目標に落とし込み、それを実行していく**ようにします。うまくいかない場合、50万円という目標設定に無理があるのか、目標にしている数値に不足があるのかを確認します。あとは、基本的な**PDCA（Plan（計画）、Do（実行）、Check（評価）、Action（改善））サイクル**をまわしていくことです。

私はこの方法で、無事に10万円の新規案件を4件受注し、月50万円の売上目標を達成することができました。

仕事選びで失敗しない！

ビジネスの軸を決める大切なポイント

ビジネスの軸を決めるときに大切なこと

自分のビジネスの主軸を決める際に、大切にすべきことがあります。

1. **自分の強み**
2. **自分の弱み**
3. **自分が嫌なこと**

ここでの自分の強みとは、**自分のキャリア**を指します。

営業を続けてきたので対人コミュニケーションに長けている、広報をしているので文章力がある、といったことです。その他にも、自分が今まで**褒められてきたことが強み**であると認識してください。「作業が早いね」「仕事が細かくて正確だね」という褒め言葉も手がかりになります。

当たり前のようにできている、苦手意識がないというように、**自分にとっては普通だけれど、周囲にとってはそうではないという点も強み**になります。

日本人は謙虚な人が多いので、「自分なんか……」と思いがちですよね。自分の強みを見つけるポイントとしては、まずは**書き出す**こと。考えて終わりにする人が多いのですが、紙に書き出すというのがとても大事です。スマホのメモでも構いません。

また、**自分の経歴を徹底して振り返る**ようにしてください。

例えば、何かのリーダーをした経験があるならば「自分で考えて動くことができるタイプだな」、あるいはサブリーダーならば「誰かをサポートするのが向いている性格かもしれない」などと考えられます。

身近な人に自分の強みを聞くこともおすすめです。家族のように、生まれたときから自分のことを知っている人、仕事のことを話せる友人、最近知り合って一緒に仕事をしている人など、それぞれに聞いてみてください。家族や友人はともかくとして、基本的には自分の仕事について知っている人のほうがよいです。

自分の弱みや嫌なことは書きやすいのではないでしょうか。会社の上下関係が苦手、満員電車に乗りたくない、残業はしたくないなど、とにかくたくさん書き出すようにしてください。

私の場合は、ブランディングやマーケティングが得意です。またキャリアアドバイザーをしていたので、人の顔を見て「この人はこういう悩みを持っているんだろうな」と察知することができます。

一方で、細かい事務作業が得意ではありません。また、毎日のように人と会うのは疲れてしまうので、それらを避けて仕事を選びました。

ポイントは、**「自分の好きなこと」をビジネスの主軸にしない**ことです。好きなことは人生の時々で変動しますし、趣味でも実現できます。**嫌なことを避けていくほうが、自分の理**

想に合った仕事に辿り着くことができるのです。

まるで、就職活動の自己分析のようだと思われた方もいるかもしれません。就職活動に限らず、フリーランスとして独立するときも、もっと言えば一生のうちずっと、自己分析は必要です。ただし、やりすぎて迷子になってしまう人もいるので、①〜③だけで十分です。

自分が何に幸せを感じるのかを考えてみてください。

憧れを憧れで終わらせないコツ

ビジネスの軸を決める際に、なんとなく憧れの人がいて、「あの人みたいになりたい」という願望から決めるのもいいでしょう。それがあなたの「夢」であるなら、ぜひそれを軸にしてください。

ちなみに、よく聞かれるのですが、私自身にロールモデルはいません。ただし、フリーランスとして働くにあたり、参考にした方は何人かいます。

その一人が小嶋陽菜（こじはる）さんです。ご存じのように元AKB48のメンバーで、アイドルとして大活躍しました。卒業後は女性起業家として、自分の「好き」を仕事にして輝いている方です。

自分が好きなことをとことん追求する姿勢が非常に強く、時代の変化に対応する力があります。自分の見せ方がとても上手で、自分のことを客観的に見つめ、こういう風に演出すれば効果的だというのがわかっている方です。その賢さが素敵だなと思うし、ずっと憧れています。

もう一人が菅本裕子（ゆうこす）さんです。同じく元48グループのアイドルですが、SNSの発信力は群を抜いていて、SNSの世界を切り拓いてきたと言ってもいいでしょう。YouTuberだけでなくコスメプロデュース、個人事務所やライバー事務所を経営されているなど、その活動は多岐にわたります。時代に合わせて、自分のビジネスを変化させていくのが非常に上手な方です。常に第一線を走っていて、その生き方はとても参考になります。

他には、旅をしながら働いて発信しているフリーランスの方など、何人か憧れの方がいます。

私は自分が憧れる人に出会ったとき、その人に自分が**なぜ憧れるかを書き出します**。そして、**その人に近づくために自分にどんな能力が必要かを列挙**して、**「自分が具体的にやれること」に落とし込む**ようにしています。これが、憧れを憧れで終わらせないようにするポイントです。

稼ぐチャンスを見逃さない！

自分のジャンル選定2STEP

いよいよ、前項で説明した自分の軸に沿って、どんなジャンルのビジネスに挑戦するかを考えるフェーズです。難しそうだな、慎重にやらなければと思っている方もいるかもしれませんが、あまり難しく考えすぎないでください。

ここでは、たった2STEPで自分の職種ジャンルを選定していく方法を紹介します。

STEP1　Google & SNS検索で職種をリサーチ

まずはGoogle検索で調べてみましょう。「フリーランス職種」で検索すると、数えきれないほど多くの検索結果が出てきます。それを一つずつ見ていきながら、「これは好きだな」「これは無理だな」というように、感覚でよさそうな仕事だけを選び出してください。

その際、なるべく**たくさんの職種を検索で導き出す**のがポイントです。

世の中には、あまり知られていない業界や職種がたくさんあります。「この仕事もフリーランスなのか」と驚くこともあるでしょう。自分が**検討していなかった種類の仕事も視野に入れる**ことができるのです。この段階で、良質な情報収集を心がけるようにしてください。

次はSNSを使います。InstagramやX（旧Twitter）で「フ

リーランス」と検索すると、フリーランスの方がたくさん出てきます。その方のプロフィールを調べて、具体的にどのような職種なのかをチェックします。

このとき、そのアカウントがどういう**発信**をしているか、どんな**キャラクター**なのかも確認しましょう。大まかに「Webのフリーランス」と言っても、エンジニアにはエンジニアのキャラクター、SNS運用代行にはSNS運用代行のキャラクターがあります。自分が気になる職種のアカウントを見て、**共感できそうか、コミュニティの雰囲気に馴染めそうかを感じ取ってみましょう**。

気になる職種がない方は、「このアカウント素敵だな。エンジニアなのか。挑戦してみようかな」と、逆からのアプローチも効果的でしょう。

ここまでは直感や感覚を重視しても構いません。ただし、SNSのアカウントをより注視するところからは、**理論的に考える**ようにします。

SNSのアカウントからは、その職種の働き方や生活ぶりも見えてくるので、それらを細かくチェックするようにします。どんなところで働いていて、忙しい仕事なのか、時間に余裕はあるのか、収入はどれぐらいか……。自分の理想とするライフスタイルに合致するかを、必ず見極めるようにしてください。

そして、前述した

❶ **自分の強み**
❷ **自分の弱み**
❸ **自分が嫌なこと**

が気になる職種に合致するか、しないかを考えます。

感覚と理論、二つをバランスよく使い、自分に合った職種を選ぶようにしましょう。

STEP2　情報アンテナを立て、稼げるツボを押さえる

職種の候補を選んだら、それらの職種に**どのぐらい稼ぐチャンスがあるのか、何が流行していて、どのポイントを押さえたら多くの収入を得られるか**をリサーチします。

基本的には、情報のアンテナをしっかり立てておくようにします。SNSをチェックして、同じ職種の人たちの働きぶりを目で追うようにしてください。同じ職種の人たちと交流して最先端の情報がもらえる環境に身を置き、本音を聞き出して情報を掴み取れると、大きな武器になります。

私の場合は、SNS運用代行を始めた当時、「ショート動画に力を入れたほうがいい」という情報をキャッチしていました。Instagramでも、リールが注目され始めていた頃です。

そこで同じように調べてみると、ショート動画を戦略的に取り入れているSNS運用代行アカウントはまだあまりありませんでした。また、ショート動画を体系的に教えているスクールもほとんど見つかりませんでした。

そこで、「ショート動画を取り入れれば自分の武器になるし、スクールとして教えられれば他との差別化につながる」と考え、この分野に参入し、結果として大成功を収めたのです。

2022年半ばから主流に躍り出た「SNS運用代行」

私がどのようにしてSNS運用代行という職種を選んだの

かをお話します。

フリーランスとして独立しようと考えた当初は、Web制作を想定して勉強をしていました。なぜWeb制作だったかというと、当時最も稼げるジャンルだったからです。前述したように、会社員としてのお給料では、私が理想とするライフスタイルは実現できないと思ったので、収入面を重視してWeb制作を選びました。

しかし、いくら一生懸命に制作をしても、サイトを訪れるお客さまがいなければ虚しいもの。クライアントの期待に応えるためにも、集客はとても大事です。では、どうすれば集客できるのか。やはり、X（旧Twitter）、Instagram、YouTubeなどのSNSに大きな可能性があり、これからも伸びるだろうと考えたのです。

また、私自身の能力としても、ブランディングやマーケティングが得意でした。Webマーケティングの世界であれば、自分の得意分野が生かせるのではないかと、SNS運用代行を選んだのです。

そして、実際にSNS運用代行を始めたのは2022年の半ば頃。今でこそ、SNS運用代行はフリーランスの世界で最も伸びている職種だと思いますが、当時は認知度が低かったため、ニーズはあるのにライバルがそこまで多くありませんでした。SNS運用代行の世界に身を置いてみて、やはりこの仕事は無限にチャンスがあるし、これからどんどん伸びていくだろうと予想できました。

もう一つ、「フリーランス×SNS運用代行」という視点でも可能性があると感じました。

私がフリーランスとしてSNSを始めたのは2年ほど前ですが、Instagramにおいて、フリーランスとしてアカウントを伸ばしている人はあまりいませんでした。

そこで、自分が「フリーランス×SNS運用代行」として発信すれば十分に伸びるし、仕事を受注できるだろうと考えたのです。さらにノウハウを確立すれば、いずれはスクールや法人化など、組織として大きくできるチャンスがあると考えました。

そうして地道に発信を続けていったところ、さまざまなスクール経営者などが「SNS運用代行は需要があるらしい」と気づき、事業として展開していきました。今では、InstagramやX（旧Twitter）で「SNS運用代行」を検索すれば、山ほど情報が出てきます。ここ1年でSNS運用代行がものすごい盛り上がりを見せ、今やWebフリーランスや副業のメインストリームにまで躍り出ました。

ビジネスのチャンスはあらゆるところに転がっています。

アンテナをしっかりと伸ばして、稼げる職種はどこにあるか探り当ててほしいと思います。

自分の「コンセプト設計」が鍵になる！

ジャンルを選定できたら、自分の「コンセプト設計」を行う必要があります。唯一無二のブランド、その会社（フリーランス）らしさがつくり上げられると、効果的に事業を進められるからです。

ここでは、コンセプト設計について解説します。

コンセプト設計で自分のスタイルを確立する

前述と重なる部分もありますが、コンセプト設計の手順を説明します。

❶ 自分の強みを考える

フリーランスの場合、決めたジャンルや仕事における自分の強みを考えます。例えば、美容が好きで美容業界に興味がある、デザインが得意、といったことです。

❷ 顧客を分析する

①で出した自分の強みを、どのような方が評価してくれるかを考えます。つまり、自分のお客さまとなってくれそうな人が誰なのかを絞り出すということです。

❸ 競合との差別化を考える

どのようなフリーランス、企業が競合になるのかを抽出します。抽出した後に、何が差別化のポイントになるかをピックアップします。

④ 自分が何を目指すのか、提供できる価値を考える

どのようなお客さまに、自分は何を提供できるのかを明確にします。自分がどのようなフリーランスでありたいかを言葉で説明できるようにしてください。

⑤「らしさ」を確立し、ブレずに実行する

上記で得た自分の仕事の特色を、ぶれないように実行するのが大事です。スタイルを確立し、誰から見ても「あなたらしい仕事だ」と言われるように実行します。

⑥ 効果検証を行う

①〜⑤の流れで実際に効果があったのか、売上に結びついたのかを検証します。

フリーランスにとって、最も難しいのが③かもしれません。

競合について考える際は、**なるべく多くの競合フリーランスを見る**ようにしてください。他のフリーランスの得意・不得意をよく観察し、**彼らになくて自分にあるものは何か、商品としてクライアントに提供できるものは何かを考えます。**

ただし、Webのフリーランス、特にSNS運用代行に関しては、それほど差別化に神経質にならなくてもよいでしょう。フリーランスとしてSNSの運用代行で生活していくならば、5〜10社から仕事をもらえれば十分です。目の前のお客さまに尽くすだけでも大きな差別化ですし、契約継続にもつながります。

その上で、納期の早さや価格、経歴、得意分野、得意な技

術など、アピールできるものがあればベターです。

ヒットの影に「+−×理論」アリ！

コンセプトを設計するときに使えるのが、**「+−×（プラスマイナスかける）理論」**です。

ここで言う【プラス】とは、「いいと思うものを増やす」ことです。例えば、もともと売れていたお菓子を増量して販売することでさらにヒットする、効果を倍増させるなどが挙げられます。

一方で【マイナス】とは、「もともとあるものから引く」ことです。カロリーを減らした「ダイエットコーラ」、アルコールを抜いた「ノンアルコールビール」などが挙げられます。何かをあえてマイナスにすることで価値を高めているのです。

【かける】とは、「あるものを違うものとかけ合わせる」ことです。チョコとバナナをかけ合わせたチョコバナナ、お風呂とカフェをかけ合わせたお風呂カフェなどです。

「+−×理論」というのは私が命名しましたが、世の中にはこの考え方を基にした商品やサービスがたくさん開発されています。自分のSNS発信においても、この考え方は有用です。

SNS運用代行でも使える！

効果的なマーケティング手法

前項で、競合との差別化について少し言及しました。フリーランスだけでなく、ビジネスを始めよう思ったときには、自社のコンセプトや商品に差別化が欠かせません。

とはいえ、差別化のために何をすればいいのかというのは悩みどころですよね。ここでは、差別化を含むマーケティング手法について解説します。

他のフリーランスと差をつけよう！「3C 分析」

具体的なマーケットリサーチについて、運用代行を例にとってお伝えします。

マーケットリサーチの際にまず使うのは**「3C 分析」**です。3C 分析とは、Customer（市場環境・顧客）、Competitor（競合）、Company（自社）について分析する手法で、自社を取

3C分析

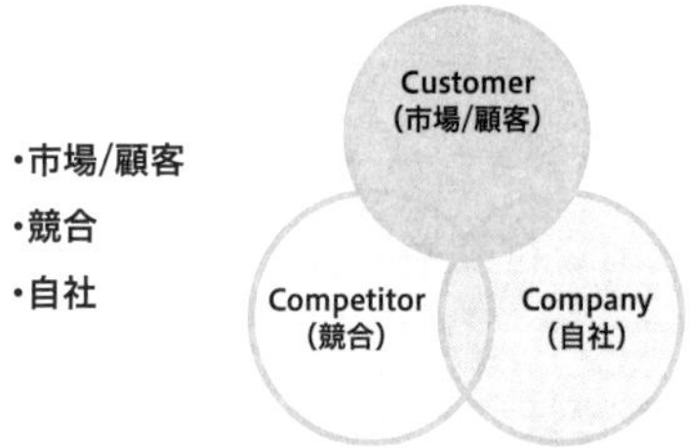

・市場/顧客
・競合
・自社

Customer
（市場/顧客）
Competitor
（競合）
Company
（自社）

り巻く業界環境を整理するのに有効なフレームワークです。
3C分析がなぜ必要かというと、クライアントワークをする際にお客さまに仕事の説明をしなければならないからです。LPを制作したり、SNSを発信したりする際に、市場・お客さま・競合他社を分析できないと、自分がなぜこの仕事をするのかを説明できません。この分析をしっかりとプレゼンテーションできると、ライバルと差別化ができます。

マーケット分析と聞くと非常に難しいのではと思われるかもしれませんが、そんなことはありません。マーケティング会社ではないので、普段の何気ない思考をまとめるだけで十分です。
参考までに、私が普段使っている3C分析のシートをお見せします。わかりやすいように、美容室のお客さまにヒアリングやリサーチをした場合を例にすると、次ページのようになります。

ヒアリングを進める中で、クライアントも答えを持っていないという場合が出てくるかもしれません。その際には、「今までどのようなお客さまが多かったですか」と聞き出して、一緒に考えて分析を完成させましょう。分析を進めれば進めるほど、ここまでサポートしてくれるのかと信頼を得られますし、仕事も継続して受注できるようになります。

ただし、深く考えすぎないようにしてください。SNS運用代行はSNSの運用を行う範囲でのプロなので、考えても答えに辿りつかないことはあります。あくまで、SNSやLPに反映させるだけの情報量で十分だと割り切るようにしましょう。

3C分析シートの例（美容室の場合）

市場・顧客（Customer）	
顧客層（会社の規模間など）	30代後半の女性/自営業/かっこよく生きていきたい人
顧客ニーズ	ショートカットは小顔に見えるかもしれない／ショートカットは楽だから／ショートカットはセットしなくてもいい
理想のお客さま	経営や自営をしている30代後半の女性
市場規模（人口、市場動向）	昼休みなど隙間時間に来店したい人が多い

競合(Competitor)	
競合はどこ？	北新地のA
競合の市場シェア	1日の来店者数は500人程度
競合の特徴	ヘッドマッサージなどリラクゼーションを取り入れている/トリートメントが強い

自社(Company)	
現状の売上構成	リピート60%　新規40%　ショートカット多め
強み	ショートカットが得意/安い/リピート特典がある
弱み	カット以外を目的にする客が少ない/ショートカット以外のスタイルに自信がない
お客さまの声(満足度、口コミ)	ショートカットに対しては満足度が高い

3C分析は、フリーランスとしての**自分のビジネスを分析するのにも有用**です。駆け出しであれば、「低価格」「フットワークが軽い」が強みでしょうし、弱みは「実績が少なく信頼度が低い」「専門性が少ない」かもしれません。また、ライバルアカウントがなぜ伸びているかという**競合調査にも使えます**。

マーケティングの知識は自分のビジネスを展開する上でも役に立つので、思考方法だけでも身につけておきましょう。

プロモーション戦略を練る！「STP分析」

次に、**STP分析**を使います。

STP分析とは、Segmentation（セグメンテーション）、Targeting（ターゲティング）、Positioning（ポジショニング）

の略です。顧客ニーズ、自社の強み、他社との差別化ポイントを把握し、プロモーション戦略を練る基礎が作れます。具体的な分析手法は以下の通りです。

セグメンテーション

市場を共通項で細分化します。市場は、**消費財市場**（消費を目的として個人や家庭で使用される財やサービス）と、**生産財市場**（生産のために使用される財やサービスを対象とする市場）に分かれます。ここでは、Web系のフリーランスに多くかかわる、消費財市場について説明します。

消費財市場は、4つの軸に分類されます。

1. **人口統計的属性：年齢、性別、職業、年収、学歴、家族構成など**
2. **地理的属性：地域、地方、気候、地形、人口密度など**
3. **行動的属性：購入時間帯、購入経路、利用頻度、商品やサービスの利用シーン**
4. **心理的属性：価値観・ライフスタイル、性格、趣味、嗜好**

ターゲティング

ターゲティングとは、市場を細分化した後に、自社がターゲットとする層を選ぶプロセスです。

・集中型マーケティング

ターゲットを絞り込み、経営資源を集中的に投じることで特定の顧客に対し最大限にアピールをします。

・差別型マーケティング

複数の市場を対象に、複数の製品を開発・提供します。

・**無差別型マーケティング**

細分化された市場を無視し、無数の市場に同じ製品を提供します。資金力が豊富な大企業や、食品会社などに適しているといわれています。

ポジショニング

ターゲティングにより選び出した市場に対し、**自社の立ち位置を決める**プロセスです。競合他社の価格や機能などに比べて自社がどこに優位性があるかを明確にし、立ち位置を決めます。

STP分析が有用な理由として、**より精度の高い思考ができる**ことが挙げられます。3C分析と合わせてクライアントに提出すると信頼を得られるでしょうし、自分も仕事がしやすくなります。

一方で、3C分析と同様に答えを追求しすぎないようにしてください。そもそもマーケティングというのは、外部の立場であるフリーランスが行うものではありません。クライアントが自社のリソースを使って行うものです。

ではなぜこのような分析を行うのかと言うと、業界によってはマーケティングの発想が薄く、文化としてあまり行わないお店や企業もあるからです。そうしたクライアントに、ここで解説した分析手法を提供すると、大きな差別化につながるでしょう。

マーケティング戦略の最重要7STEP

前項の手法と重なる部分もありますが、マーケティング戦略を立てる際に重要なステップをお伝えします。

① 市場調査

市場調査のコツは、たくさんの市場を見ることです。SNS発信の場合、「このジャンルが伸びているようだ」「今はそこまでニーズがないかもしれないけれど、フォロワーが多いから伸びる可能性がある」などというように、どんなところにどのようなニーズがあるかを見ます。

② 市場細分化

①で注目した市場を細分化します。

③ ターゲティング

自社製品・サービスのターゲットとなる市場や人を抽出します。ターゲットの属性なども明らかにします。特に、ターゲットの不安や悩みを知ることが重要です。

④ ポジショニング

市場の中でどの位置に入れば自社が伸びるのか、位置づけを考えます。

⑤ 4P 分析、3C 分析

3C 分析は前述した通りです。4P 分析とは、自社の製品やサービスを商品、価格、流通、販売促進の 4 つで考えるマーケティング手法です。古典的な分析方法ですが、思考の基礎と言えます。

⑥ 実行

⑦ 分析

特に重要なのが①〜⑤です。この部分が揺らいでいると、誰に何を発信するのかという基本に迷いが生じてしまいます。発信者の姿勢にブレがあると、お客さまにもうまく伝わりません。

成功するターゲティングのコツ

ターゲティングの際に、注目すべき点がいくつかあります。

①属性（年齢、性別、職業、年収、学歴、家族構成など）
②ライフスタイル（生活パターンなど）
③願望や悩み（理想の生活スタイルやありたい姿など）

特に、ターゲットの悩みを抽出するのは非常に大事な作業です。最低でも**30個以上は書き出す**ようにしてください。自分で考えて思い浮かばなければ、『Yahoo! 知恵袋』や『教えて！ goo』などでキーワード検索し、悩みを洗い出してください。Amazonの検索を使ったり、レビューを見たりしてもよいでしょう。

私がフリーランスとしてSNSで発信した際にも、このターゲティング方法を使いました。

①に関しては、女性の会社員で独身の方、もしくは主婦の方を設定しました。②は、毎日を忙しく、アクティブに過ごしている人を想定し、③は「仕事を辞めたいけれどどうしていいかわからない」「副業を始めて余裕のある生活を送りたい」という悩みがあるだろうと想像しました。

そこで考えたのが、「HSPフリーランス」というキャッチコピーです。繊細で悩みが多い人にとって、フリーランスという働き方は響きやすいと考えたわけです。

このターゲティングが奏功し、HSPフリーランスといえば「あや」と言われるまで、認知度が高まりました。

ターゲティングに際しては、**ターゲットをより細かく分類する**ようにしてください。例えば、ターゲットに「SNS運用に興味がある人」と設定した場合でも、

- **フリーランスとしてSNS運用をやっていきたい人**
- **副業に興味がある人**
- **デザインを勉強していて、収益化できていないからSNS運用代行もやってみたい人**
- **SNS運用代行を仕事にしているけれど、もっとスキルをつけていきたい人**

などに細分化します。その上で、**数が多い母集団を想定**します。上記の場合、「興味があるけれどまだやったことがない」という層が最も数の多い母集団なので、この層に向けてアプローチをかけて収益化（コンバージョン）をします。

なお、ここで**一度決めたターゲットは、基本的には変えません**。途中でターゲットを変えてしまうと、相手が混乱するだけでなく軸がぶれて一貫性のないものになってしまうので、気をつけましょう。

ターゲットとペルソナについて

ここで、ターゲットとペルソナの違いを説明します。ターゲットもペルソナも、どちらもマーケティングで使われますが、深掘りの程度が異なります。

ターゲット

- **年齢や性別など最低限の属性**

ペルソナ

・その人物を想像できるような具体的な像。趣味嗜好、性格、将来のビジョン、休日の過ごし方、特技といったことも盛り込まれる

この二つを必ず設定するのがポイントです。どちらも、特に「悩み」に注目するようにしましょう。悩みに役立てる商品やサービスは何かという視点はとても大事です。

特に、ペルソナがしっかりしていればいるほど、効果的なSNS発信ができます。例えば、「20代の女性に向けて発信しよう」と決めても漠然としすぎていて、見た人はピンときません。ところが、「20代の女性で、婚活を頑張っている人に向けて発信しよう」とターゲットを絞れば、「婚活のおすすめツール」や「婚活の悩みごと」など、**関心を惹けそうなアイディアが浮かんでくる**はずです。

すると、**投稿内容がぶれないので、狙ったターゲットにフォローされます**。つまり、こちらがターゲットを絞ることで**フォロワーが明確化される**という効果もあるのです。フォロワーが明確化されると**発信の精度も高まるので、フォロワーの数も増えやすい**です。

ターゲットやペルソナを設定するには、**普段からさまざまな人に対する興味関心を抱いておく**必要があります。観察眼を鋭く持って、人間観察を習慣にしましょう。

フリーランスとしてのプロフィールを組み立てよう

コンセプトが決まったら、他者に自分を紹介するためのプロフィールをつくります。企業や個人がフリーランスに仕事を頼むときには、実績や人柄などで選ぶため、自分や仕事を売り込むために必須な作業です。ここが十分にできていないと、営業をどれほどかけたとしても受注につながることはないでしょう。

ここでは、プロフィール設計に重要なことを解説します。

わかりやすく簡潔に！ SNSのプロフィール設計

プロフィールの作成では、必要なことを簡潔にまとめるのが大事になります。プロフィールの種類にもよるので、まずはSNSにおけるポイントを紹介します。

・名前

何をしている人か一目でわかるユーザーネームと名前をつけましょう。私のInstagramアカウント名は「あや　自分らしく働くフリーランス」です。見た人が「あ、フリーランスで働いている人なんだな」とパッとわかるようにすることが重要になります。

・実績

「SNS運用代行のお仕事数○件」など、当該分野の経歴と実績を書きます。具体的な数字を入れるようにしましょう。

・特色

「おうちで働くフリーランス」「旅をしながら働くフリーランス」など、自分自身の特色を入れます。ターゲットに自分を訴えかけるのがポイントです。

・発信内容

「婚活についてつぶやきます」など、自分が発信することを簡潔に紹介します。

・見た目

初心者がやりがちなのは、**色を使いすぎ**という失敗です。そのため私がプロフィール写真で意識しているのは、ベージュ系に色合いを統一することです。他にも、オレンジ系やピンク系も意識しています。

なぜかというと、色彩心理学においてベージュという色は、「安心感」「落ち着いている」「親近感がある」という意味があるためです。私はプロフィールを見た人にそういう印象を持ってもらいたいので、ベージュにピンクを少し混ぜた色合いにしています。

ピンク＝愛され感、白＝信頼感など、色ごとにテーマがあるので、自分のテーマに合わせた色で統一しましょう。

簡潔なプロフィール文

プロフィール文を簡潔にするとは、**箇条書きにする・一文を長くしない（なるべく一行で収める）・見た瞬間に頭に入るようにする・適切に改行する**ということです。

一文を長くしないというのは特に重要で、丁寧に説明しようとするとついつい2行、3行になってしまう人もいるのですが、それでは読んだ人の頭に入りません。プロフィールを見た瞬間に、感覚的に理解できるようなプロフィールを心がけてください。

SNSのプロフィール欄はプラットフォームによって文字数の制限があるかもしれませんが、読んだ人に伝わることを第一に、バランスよく書くことを心がけましょう。私のSNSのプロフィールを以下に掲載するので、ぜひ参考にしてみてください。

sns_freelance_aya　フォローする　メッセージを送信

投稿210件　フォロワー1.9万人　フォロー中62人

あや｜自分らしく働くフリーランス
未経験から自由なSNSフリーランスに
SNS会社の代表 好きな人と生きる
SNSを学ぶ17大特典プレゼント

- SNSフォロワー8万人
- 添削、運用実績200以上
- スマホでできるSNS運用代行
- 会社員SNS未経験からスタート

旅行、食、美容すき
syk01.com/lp/129f/67jd

プロフィールのNG例

プロフィールのNG例も見てみましょう。次のプロフィールは、どこがよくないと思いますか？　考えてみてください。

フォローする　メッセージを送信

投稿180　フォロワー1.5万人　フォロー中120人

かな

パンが大好きな25歳

■おしゃれな暮らしが好き
■グルメ、旅行巡りをよくします
■24時間限定のストーリーも見逃さないでね

他のアカウントとも見比べてみるとわかりやすいかもしれません。

・何のアカウントなのかがわからない
・誰をターゲットにしているのかが見えてこない
・主に何について発信したいか不明確

という点で、この例はNGです。

ポートフォリオのプロフィール設計

ポートフォリオは形式にとらわれずに作れるので、SNSよりも自分の色を出しやすいです。とはいえ、SNSと考え方は同様です。

・実績と経歴

ポートフォリオなので、実績を存分に、いろんな形で紹介してください。

駆け出しで実績があまりないという人は、学んだスクール名も実績に入ります。それに加えて、**伝え方を工夫**してください。例えばInstagramでは、ストーリーの閲覧率は20%が基準なのですが、それよりも高いならばその数字をアピールしてみるなどです。

初期アカウントでも、「500フォロワーしかいない」と悲観する必要はありません。SNSに詳しくない人からすると、500フォロワーでも十分に多いと感じられます。

・強み

仕事の中で自分が最も得意とすることを説明します。

・できること

SNS運用代行であれば、自分が今までやってきたことの中で、できると思うものを書きます。広告や通販が可能といった具体的なスキルがベストです。

・お客さまからいただいた声

これまでクライアントから得られた意見があれば入れるようにします。

ポートフォリオは、営業先によって内容を変えることはしません。どの仕事も自分の実績であると胸を張っていただきたいと思います。

プロフィール設計に関しては、**同じ分野で活躍している人のプロフィールを積極的に参考にする**ようにしましょう。プロフィール欄を分析し、いい部分を真似したり、反対に自分なりの強みを出していったりして、オリジナリティを出してください。

自分を「推す」キャッチコピーを考えよう

SNS アカウントを伸ばすには、効果的にキャッチコピーを使わなければなりません。

そのためのポイントは次の4つです。

1. **ターゲットを明確化する**
2. **具体的な数字で表現する**
3. **13～15 文字のシンプルなフレーズにする**
4. **発見や驚きが伝わるフレーズを盛り込む**

それぞれ詳しく解説します。

①ターゲットを明確化する

伝えたいキーワードをターゲットへ届けることを考えるのですが、ここでもやはり、**ターゲットを明確化する**ことが必要になります。すでに紹介しているので、ここでは詳細の説明を割愛します。

②具体的な数字で表現する

具体的な数字で表現するというのは、ビジネスにおいて重要視されることの一つでしょう。キャッチコピーでも同様です。

私のアカウントを例にとると、「SNS 運用代行」「フリーランス」というのが伝えたいキーワードで、副業をしたい人やフリーランスになりたい人がターゲットです。ここに「スキルゼロからの」「月商100万円達成」というように、数字を入れて感覚的に理解できるようにします。

③ 13～15文字のシンプルなフレーズにする

文字数も大切です。Instagramのフィード投稿であれば、**13～15文字まで**がひと目で読みやすいといわれています。「自分らしく働くフリーランス」（13文字）は短く理解しやすいので、我ながらいいキャッチコピーではないかと思っています。

素人が考える文章というのは、たいてい余分な修飾語がついています。無駄は極力取り除き、**シンプルなフレーズ**に仕上げてください。

なお、文字数が多い、漢字が多いなども失敗例として挙げられます。漢字が多いと「難しそう」と思われるので注意してください。

④発見や驚きが伝わるフレーズを盛り込む

発見や驚きが伝わるフレーズを盛り込みましょう。「1年半で1,200万円達成」「スキルゼロから月商100万円」というのも驚きのフレーズです。あえて、可能な限り具体的に書くことで、読んだ人に「本当だろうか？」と思わせることができます。

また、**「このままだと失敗します！」**というような、ドキッとさせる言葉も効果的かもしれません。

キャッチコピーをつくるときのコツ

SNS を発信する仕事として、キャッチコピーが他者（他社）と重なることは避けたいものです。すでに売れている著名なアカウントと同じコピーを打ち出しても、そのアカウント以上の存在にはなれません。ポジションが重なっているようであれば見直し、自分の独自性を出すようにしましょう。

それでは、前述したポイントも踏まえつつ、キャッチコピーをつくるときのコツを、起業家を育てるスクールを例にして考えてみます。

① 課題を明確にして、商品と結びつける

「自立したい、起業したい」という女性がターゲット

② 独自性やウリを出す

「かつて仕事でもプライベートでも苦労した、女性起業家Aさんが当スクールの創業者です」

「女性の自立を応援するプログラムを豊富に提供します」

このように、ターゲットの課題を解決するのが自社の商品であるということをわかりやすく説明します。

③ サービスや物を購入しなかった場合に待ち受ける、悲しい未来を想像させる

「このチャンスを逃せば、起業は夢に終わるかもしれません」

「一生会社員のままでいいですか？」

「ずっと時給 1,000 円で働きますか？」

もしくは、

- **サービスや物を購入した場合に待ち受ける、明るい未来を想像させる**

「起業をして自由なライフスタイルを手に入れましょう」
「1年目で年商1,000万円も夢ではありません」
「子どもと好きなだけ一緒に過ごせるようになります」
などです。
ぜひ、以上を参考にして、あなたにあった、そしてお客さまに伝わるキャッチコピーを考えてみてください。

ブランディングとは「何をしないかを決める」こと

「ブランド」と言うと高級品を想像するかもしれませんが、ブランディングは高級品に限りません。ターゲットに対して企業の価値やイメージを高く認知してもらうための取り組みを指します。つまり、ある特定の商品やサービスが、顧客や消費者によって「これならこの企業（商品）だな」と、自然と共通のイメージを抱いてもらうことを、ブランディングと言うのです。

例えば、外出をしていてお腹が空いた、安く早く丼ものが食べたいと思ったとき、すぐに吉野家を思い浮かべる人は多いのではないでしょうか。また、ある特定の水色を目にしたときには、ティファニーブルー、つまりティファニーを思い浮かべる……。これがまさに、ブランディングの成功例です。

ブランディングに大切なのは「何をしないかを決める」こと

ブランディングに成功すると、消費者から選ばれる可能性が高まります。集客、PR、販売促進（販促）などの面でもメリットを得られるようになります。

SNSで発信をするフリーランスにとっても、ブランディングは必要不可欠です。「○○という分野を任せたいから、この人に仕事を発注しよう」と思わせる特色を持っている人は、言わずもがな強いのです。

私の場合は、「美容」が一つのブランディングでした。もともと美容に関心があり、スクール生やフォロワーにも美容好きが多く、美容関係の仕事を得やすい環境でもありました。美容関係の情報を発信するとフォロワーにも喜ばれ、話題になってフォロワー数も伸びましたし、「美容のことなら任せられそうだ」とクライアントの信頼を得られて、私自身も楽しいという、いいことづくめでした。

ブランディングで大切なのは、**「何をしないかを決める」**ということです。「自分らしくゆるく働く」ことを掲げている私が、15時間以上働いてボロボロになっている姿を見せてはダメですよね。美容に興味があり、それについて発信しているのに、不摂生な食生活では説得力がありません。きちんとブランディングができていたら、「こういう情報は発信しないほうがいいな」というのがわかるようになるでしょう。そうすることで、おのずとブランディングが浸透していくようになります。

自分が設定したブランドが崩れないよう、注意を払ってください。

仕組み化

すべての仕事は均等に価値があるわけではない

すべての事業には、成果を出すための仕組みづくりが必要になります。事業と言うと大掛かりなビジネスを想像されるかもしれませんが、フリーランスの仕事も事業の一つです。

事業を大きくするには、自分が直接手を動かさずとも回るよう、誰かに任せる（＝外注する）ことが必須です。仕事をしていくことで初めて見えてくることもあるので、それに合わせて新しく考えるなり、ブラッシュアップするなりしていけばいいでしょう。フリーランスの仕事を始める前からある程度考えておくと、仕事が忙しくなってから慌ててしまうのは避けられます。

そのためここでは、仕組みづくりのために、次のようなステップを踏んで備えておきましょう。

①外注化できる部分を選ぶ

SNS運用代行の場合、お客さまに対するヒアリングや、それを基に戦略を立てる部分は他人に任せてはいけません。しかし、案件を受注する営業活動は外注化できますし、SNSに投稿する作業も他人に発注することが可能です。**「どの部分ならば、他人に任せても自分のビジネスが潰れないか」を考えてみましょう。**

②外注できる人を探す

外注できると思った作業を精査したら、早速その作業を任せられる人を探しましょう。採用活動は、SNS、クラウドサービス、「ココナラ」、「Wantedly」などで行います。もちろん、オフラインの紹介も有効です。

③マニュアルを作る

採用した人がすぐに仕事ができるよう、マニュアルを作ります。私の場合、Instagramの投稿に関しては、文章のテンプレートやフォントの種類、色に至るまで細かく指示したマニュアルを作成しています。

④外注した人を育てて仕組み化する

これまでで紹介したマーケティング手法を、アウトソーシングしてくれた人も閲覧できるようにしておきます。**「アカウント運用の目的は何か」「商品やサービスの価値は何か」**などをデータシートに入力しておくと、基本的な発想が共有できます。

ちなみに、クライアントに対しても、時間があるときに投稿内容（写真や文章）の原稿をスプレッドシートに記入してもらい、こちらで体裁を整えてから投稿担当者が投稿するというように、作業フローを仕組み化していました。次ページに掲載するので、ぜひ参考にしてください。

外注して自らの作業時間を少なくすることの意味は、**売上に直結する本質的な仕事をする時間を増やせる**ことです。

お客さまのフォローを手厚くしたり、人脈を広げたり、会

作業フロー仕組み化の例(スプレッドシート)

ファイル 編集 表示 挿入 表示形式 データ ツール 拡張機能 ヘルプ

A1 | fx 投稿日程

	A	B	C	D
1	投稿日程	投稿テーマ	ツイート	文字数
2	投稿日時	①自身のこと ②ニーズにあるコンテンツ	ツイート原稿	自動カウント
3	2021/011/6	②	お客様から、ホットペッパービューティーで大変嬉しい口コミをいただきました 数あるサロンの中からお選びいただき、ありがとうございます	69
4	2021/011/7	①	大好きな猫カフェに行ってきました 最近デビューの男の子を抱っこして癒された～	40
5	2021/011/8	②	前髪とサイドバング、もみあげなど、顔まわりのカットはおまかせください♪ 骨格に合わせるので、小顔効果抜群です	56
6	2021/011/9	②	11月15日(水)臨時休業になります。 お電話がつながりませんのでご注意ください ご予約はホットペッパービューティーからお願いいたします。	71
7	2021/011/11	②	おはようございます☀ 今話題のくびれヘアもたくさんオーダーいただいています！ 小顔に見えますのでぜひ試してくださいね!!	61
8	2021/011/12	②	今日は雨ですね 髪の広がりが気になる方は、ストレートメニューがおすすめです！ ・髪質改善ストレート ・縮毛矯正 ・ナチュラルストレート お客様のお悩みによって、さまざまなメニューをご相談させていただきます✂ ツヤツヤのヘアスタイルで、雨を乗り切りましょう	132
9	2021/12/20			0

このスプレッドシートを共有し、クライアント担当者に原稿を記入してもらう

➡誤字脱字や、文章におかしな部分がないかチェック

➡ハッシュタグをつけて投稿

社の戦略を練る時間に集中できます。頭を使う仕事ばかりを行うので、どんどん売上が上がります。

仕事は、すべて同じように価値があるわけではありません。当然ながら、売上につながる仕事に高い価値があります。誰にでもできるような作業は、どんどん外注していくようにしましょう。

私の場合、苦手だった営業活動を外注しました。X（旧Twitter）で営業を検索し、営業力がありそうだなと思った人に「SNS運用代行の営業をやってみませんか」とDMを送ります。ギャランティは基本的に成果報酬で、売上の10%が相場です。

採用する前に面談をしますが、基本的には自分と相性が合うかどうかをチェックします。また私は、営業本人がSNS運用に興味があり、今後自分でもやってみたいと思っているかというのも採用基準にしました。営業自身の自己実現がみえるなら、お互いにWin-Winですし、長いお付き合いが可能になるからです。

売上増に超重要！

専門性

一般的に、売上をアップさせるための計算式として、

売上＝集客数×成約率×価格×リピート率

があります。

売上を高めるためには、多くの顧客を呼び込むための集客が必要になります。そのうち、どの程度が契約に結びついたかが大切です。また適切な価格設定も重要ですし、契約してもらった顧客がリピーターとなるよう工夫していくことも求められます。

Web マーケティングに当てはめると、以下のような関係が成り立ちます。

・SNS、広告＝集客数を上げる
・Web 制作＝成約率を上げる
・LINE 配信（社内販促）＝リピート率を上げる

このように、基本的に一つの分野は一つのセクションしか担当することができません。

その中で「集客も成約率も、リピート率もお任せください」とアピールしたらどう思われるでしょうか？　あまり印象に残らないはずです。

「Web 関係はすべて任せてください」と言うのではなく、「集客が得意で、中でも SNS が専門です」とアピールしたほうが、経営者の心に届きます。また、専門分野を決めて極めていけ

ば専門知識も増えるので、お客さまからの信頼もより増すでしょう。**専門性はブランディングの一つ**にもなります。

専門分野がすでにある人は、とことんその部分をアピールしていってください。まだ専門分野がないという人は、自分が決めたジャンルの中で、まず＋ α の技術は何があるのかをリサーチしましょう。列挙してみて、その中から自分が極められそうなものや興味があるもの、可能性がありそうなものなどを決めてください。そして、それを極める努力をしていくことから始めましょう。

フリーランスがもっておきたい マインドセット

ここでは、フリーランス、特にWebのフリーランスとして働く際に必要なマインドセットをお話します。

自分は「1万分の1人」

「未経験でもできますか？」という質問を非常に多くいただきます。私も含め、ほとんどのWebフリーランスが、「お金」「時間」「人脈」「知識」がすべてゼロの状態からスタートしていることを、ぜひ知っておいていただきたいです。

つまり、「お金がないから」「知識がないから」というのは言い訳にすぎません。

作家の中谷彰宏さんの言葉に、「したい人、10,000人。始める人、100人。続ける人、1人」というものがあります。

私はこの言葉がとても好きで、副業時代はよく手帳に書いて見返すようにしていました。

会社が嫌で辞めたい、何か副業したいと思っている人は山ほどいるでしょう。でも、その中で実際に行動を起こせるのはごく一握りの人です。オンラインの無料勉強会に参加すればチャンスを掴めるのに、クリックすらできない人が大勢います。

もしあなたがすでに行動を起こしていて、これから続けようと頑張っているのであれば、すでに1万分の1人なのです。

どうか自信を持って、1万分の1人であることを誇りに思ってください。

「失敗をするのは当たり前。ここから何を学ぼうか」

働き始めても、壁にぶつかることはあると思います。失敗を恐れて萎縮してしまう人もいますが、失敗を避けるのはほぼ無理です。

だからこそ肩の力を抜いて、「初めてなのだから、失敗をするのは当たり前。ここから何を学ぼうかな」と考えるようにしてください。

「遅れの法則」

そして、どれほど頑張っても、結果が出ずに悩むことがあるでしょう。そんなときのために、「遅れの法則」があることを覚えておいてください。

遅れの法則とは、一見すると何も成果がないように見える日々が続くけれども、それを耐えれば大きな成果が得られる

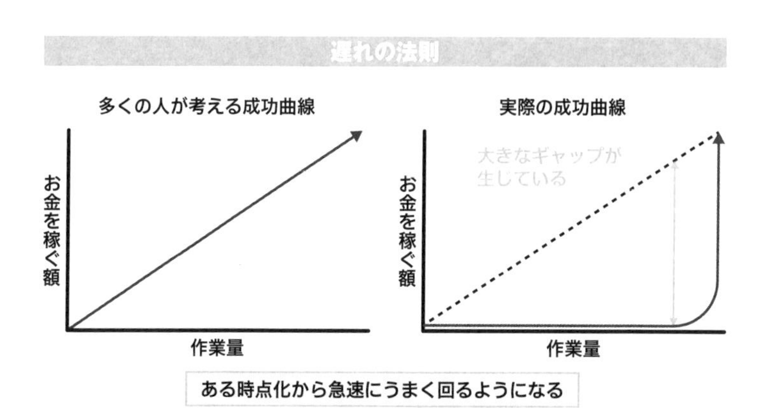

という法則です。

ある友人の話です。彼女はSNSで、6カ月間毎日発信し続けても600フォロワーしか増えませんでした。しかしその苦しい期間も諦めずに継続したところ、7カ月目で、いきなり10倍以上の7,000フォロワーを獲得したのです。1年3カ月たった今は、17,000人にまで増えました。売上も順調に伸ばし、夢だったフリーランスに転身しています。

たとえ挫折したとしても、失敗したとしても、結果が出なかったとしても、諦めなければ結果として成功できるのです。
結果を出していない今のあなたを見て、もしかしたら人は「フリーランスなんてやめておけ」「SNS運用代行なんて大した仕事じゃないだろう」と言うかもしれません。しかし結果が出たら、手のひらを返したように「やってよかったね」「自分にも教えて」と言ってくるでしょう。
現状だけを見て意見や立場をころころと変える人に、振り回されてはいけません。彼らにあなたを左右させないでください。あなたがやると決めたことを信じ、やり続けてほしいと思います。

CHAPTER

03

これで月収100万円！
フリーランスで働き始めたら

成功するフリーランスが心がけるべきこと

フリーランスになる前に知っておきたいこと、準備しておきたいことを紹介してきました。さてCHAPTER3ではいよいよ、フリーランスをスタートさせてからのことを解説します。

Webフリーランスの最大の魅力！「スモールスタート」

Webのフリーランスとして働き始めるときには、**「スモールスタート」**を意識することが大切です。

ビジネスの新規立ち上げにおけるスモールスタートには、業務の一部から小さく始め、需要などにより少しずつ規模を拡大していくという意味があります。

主なメリットとしては、

- **資金や時間、スタッフなどのコストを抑えられる**
- **業務範囲を絞り込めるので、リスクを最小限にできる**
- **事業の路線を変更したり、撤退したりすることが容易にできる**

などがあります。

Webのフリーランスは、ほとんど初期投資がかかりません。PCとスマートフォンがあれば十分です。この二つはすでに持っている人が大半でしょうから、初期投資はほぼゼロ。

仕事用にもう一台携帯電話を持つ必要があるかというと、

事業が大きくなってきたら持ってもいいと思います。ただし、私自身は今現在でも携帯電話は一台しか持っていません。

店舗を開きたいというオーナーならば、初期投資として数百万円を覚悟しなければならないでしょう。店が潰れてしまったら、莫大な負債が残ります。それを考えると、Webのフリーランスはいかに有利でリスクが少ないかを理解できるはずです。

ポイントは、このメリットを存分に生かすこと。独立にあたりスクールに通うのはおすすめですが、あちこちスクールに通い、それぞれに100万円を支払ったなら、それはもうスモールスタートではありませんね。

SNS運用代行の勉強をしつつ、Web制作のスクールに通いつつ、どちらの仕事をしようか迷っている……というようでは、ただの「つまみ食い」です。いくら初期投資が少ないとはいえ、これではいつまでたっても回収できません。CHAPTER2で触れたように、自分の適職を事前にしっかりと絞り込み、リサーチしてから勉強を始めるようにしてください。そして勉強には常にコスト意識を持つようにしましょう。

自分のモチベーションを把握する

仕事をしていると、モチベーションの変動はつきものだということを実感するでしょう。そのためモチベーションに頼って仕事をしていると、変動に引きずられ、仕事の質や量が左右されてしまうので気をつけてください。

実は、モチベーションには次の二種類あります。

①内発的モチベーション

内発的モチベーションとは、自分の心の中から湧き出るモチベーションのことです。**損得勘定などは抜きに、目標（目的）そのものに自発的なやる気が湧いている状態**を指します。

無限に湧いてくるうえに、内発的モチベーションがある場合は高い集中力やエネルギーを発揮し、成果につながりやすいのが特徴です。

②外発的モチベーション

自分の心の中ではなく、外にある目的に対して発生するモチベーションです。**「金銭報酬」と呼ばれる給与・賞与や、「地位報酬」と呼ばれるポスト・ポジションに対するやる気**が代表的なものです。

どちらか一方が重要ということではなく、それぞれの特性を理解した上で、自分でモチベーションを管理することが大切です。

モチベーションについて考えるとき、アメリカの心理学者アブラハム・マズローが提唱する**「欲求5段階説」**を知る必要があります。欲求5段階説とは、「人間は自己実現に向かって絶えず成長する」と仮定し、人間の欲求を次ページ図のように5つの階層で表したものです。

人間は低階層の欲求が満たされると、より高階層の欲求を満たそうとし、自己実現を目指します。裏を返せば、高次の欲求を満たすアプローチを行ったとしても、低次の欲求が満たされていないならば、モチベーションにはつながりません。

この5段階の欲求は、仕事にも当てはめることができます。

欲求5段階説

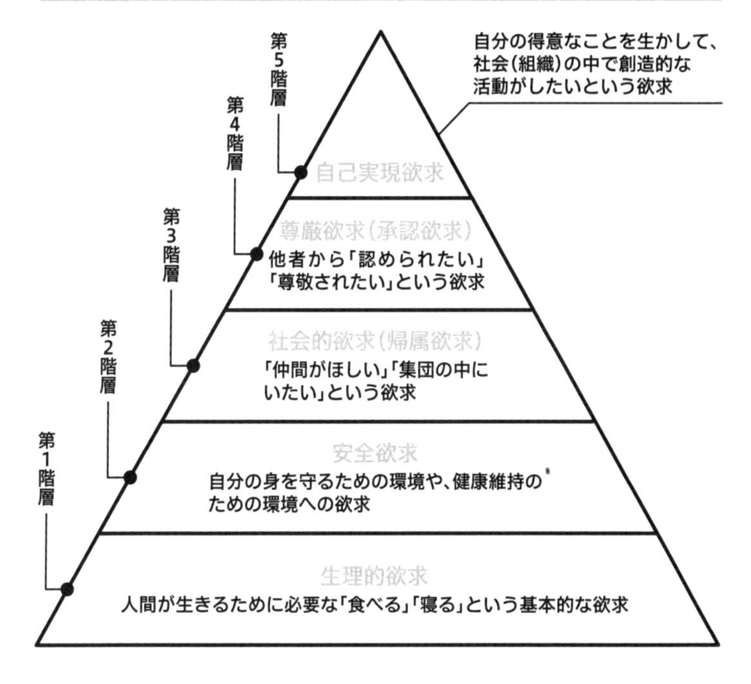

第1～第3階層が満たされていない状況では、モチベーションはなかなか高まらないでしょう。生活に対する基本的な欲求が満たされないと、仕事のモチベーションが下がってしまうので注意しましょう。

一方で、この部分が満たされたからといって仕事のモチベーションが大きく高まることもありません。

内発的モチベーションには、第4階層、第5階層が深く関わってきます。

第4階層の尊厳欲求は承認欲求とも言われ、組織の中で影響力のある存在になりたいという欲求です。この欲求を満たせない場合は、劣等感や無力感を感じやすくなります。

第５階層は、「こうありたい自分」になりたいという欲求です。自己実現というのは非常にレベルの高い欲求ですが、ここが触発されると内発的モチベーションが高まります。このステージに到達するのは全体の5%に満たないといわれています。

自分のモチベーションについて考えるとき、自分がどの階層にいるのかを客観的に把握することが大切です。

自分に振り回されない！　モチベーション管理術

モチベーションには必ず変動があります。人間である以上、ずっと一定に保つことはできません。忙しさの波によっても変わりますし、体調にも左右されます。朝はやる気にみなぎっていたのに、夜に恋人に振られて仕事どころではなくなった、ということもあるでしょう。モチベーションとは、非常に頼りない存在なのです。

自分のモチベーション継続時間を予想する

私の場合、毎日頑張り続けていると、月に１回ぐらいは「もう爆発する！」という日があります。ここで無理に頑張ると心がポキッと折れてしまい、しばらくは再起不能に陥ってしまいます。そこで、１カ月に１日は気分転換にスパ（エステ）に行くようにしています。

ポイントは、**予定を決めてしまう**ということ。毎月第３土曜日はスパの日、と決めておけば、その日まで頑張れます。同じように、毎週火曜日は必ず図書館で仕事をして気分転換をする、毎月第２・第４週の日曜日は家族と会ってリラックスする、というように予定を立てておきます。

つまり、**「だいたいこのタイミングでモチベーションが落ちそうだな」というところで、気持ちが上がる予定を入れておく**ということです。そうすれば、自分の中である程度モチベーションをコントロールできるようになります。

1日のスケジュールにおいても同様です。朝は気持ちが乗らないから、気を引き締めるために10時からミーティングをしよう、昼過ぎはダレてしまうから、15時からオフィスに集まって作業しようと先に決めておきます。そして、あとはそれに従ってスケジュールを淡々と実行していくのです。仲間のフリーランスに協力してもらうのもおすすめです。

基本的に一人で仕事をするフリーランスにとって、モチベーション管理というのは非常に重要です。「やる気がない」と言いながらダラダラ仕事をし、生産性も悪く、しかも仕事のクオリティは及第点に達していないというようでは、クライアントから評価をしてもらえません。「モチベーションがないから○○できない」というのは、ただの言い訳です。

何も考えずに行動を繰り返す「習慣化」

そうはいっても、どうしても気持ちが乗らないというときもあるでしょう。フリーランスに限らず、月曜日の朝は誰しもやる気が起きないもの。そんなときには、気分が上がるようなホテルのラウンジや、眺めのいいコワーキングスペースで仕事をしてみてはどうでしょうか？　会社員では難しいでしょうが、フリーランスならばいくらでも仕事場所を自由に選べます。

朝にやる気が出ずダラダラしがちならば、毎週月曜日は必ずホテルのラウンジでスタートし、火曜日はスタバ、水曜・木曜日は自宅、金曜日はコワーキングスペース……など、自分のスイッチが入る工夫を試してみてください。

ポイントは、**習慣化してしまう**ことです。

習慣化とは「朝起きたら顔を洗い、歯を磨き、コーヒーを淹れる」というように、**何も考えず行動を繰り返す状態**です。このときにモチベーションは関係ありません。例えば、朝起きて顔を洗うのにモチベーションは必要ありませんよね。モチベーションが必要ないという域まで持っていくのです。

習慣化できると、日々の積み重ねが大切である目標を達成できるようになったり、プライベートでも語学の勉強やジム通いなどを継続できたりするというメリットがあります。

簡単に行える負荷が低い行動を繰り返し行うのが、習慣化の基本的なステップです。脳には、無駄なエネルギー消費を回避し節約しようとする性質があります。繰り返し行われる行動はパターン化し、無意識に行うようになるのです。

こうすることで、たとえモチベーションが低くとも「この場所に来たからやる」「時間がきたからやる」という状態が出来上がります。淡々と目の前の決められた業務をすれば、モチベーションに左右されることなく仕事ができます。

やる気にあふれた状態で週に3日、30分だけ筋トレをするのと、特にやる気はないけれど、淡々と毎日1時間筋トレをするのでは、どちらが成果が出るかは明らかですよね。

モチベーションに振り回されない「プロ」として、成果を出してほしいと思います。

仕事を開始するまでの流れ

それでは、Webのフリーランスが仕事を始めるまでの流れをお伝えします。

①受注・依頼内容の確認

トラブル回避のためにも、**依頼内容を細かく確認する**ようにしましょう。特に修正に関しては、**「いつまでに」「何回まで」可能なのかを必ず念押しする**ようにします。問題が発生しやすいポイントというのは、依頼の回数を重ねるに従って見えてくるので、そこを重点的に伝えましょう。

クライアントの**期待値の調整**も行う必要があります。

SNS運用を例に挙げると、こちらとしてはフォロワーが1カ月で1,000人程度増えれば十分だと思っているのに、クライアントは「これだけのお金を払っているのだから1カ月で1万人ぐらいは増えるだろう」と見積もっているケースがあります。

SNSの現実を知らないために期待値が大きくなりやすいということもありますが、のちに問題が起きないよう、だいたいの見通しを前もって伝えるようにしてください。

②見積書・受注書の発行

見積書や受注書は、発行を義務づける法的拘束力はありません。業界によっては慣習としてこれらが省略されることがありますが、基本的には発行してもらうようにしましょう。契約締結後にクライアント都合で価格が変更された場合、見積書に記された金額が対抗手段になり得ます。書面で残しておくことで、トラブルを抑止する効果が期待できるのです。

③契約書の発行

クライアントが発行するものなので、クライアント側に有利に書かれていることが多く､注意が必要です。「よくわからないけど、きっと大丈夫だろう」と投げ出さず、わからない部分はすべて理解できるまで、粘り強く調べてください。弁護士など、いつでも相談できる専門家の知り合いがいると有利です。

自分の不利にならないように、契約書を自分で作るというぐらいの意気込みも必要です。

④仕事開始

以上をすべて整えて、やっと仕事をスタートできます。契約の段階で、曖昧な部分や不安な箇所が残らないように注意しましょう。

次項で、フリーランスがクライアントと契約する上で注意するべきポイントを紹介します。

覚えておきたいトラブル回避のコツ

フリーランスが契約の際にやりがちな失敗

フリーランスならば、誰しも契約を結ぶ際に失敗したという経験があるでしょう。よくある失敗例を紹介します。

価格の確認が甘い

フリーランス初心者で失敗しがちなのが料金設定です。

駆け出しだからと安くするのは適度にしてください。相場を知らずに低価格に設定してしまうケースも多く見られます。破格で仕事を請け負ってしまうと市場に値崩れが起き、他のフリーランスにも迷惑をかけてしまいますので、適正価格で仕事を引き受けることを心がけましょう。

また、自分としては、AからBまでの範囲で3,500円、BからCまでの範囲で3,500円と設定したつもりでも、クライアント側はトータルで3,500円だと考えていたというケースがよくあります。必ずしもクライアントに悪気があるわけではありません。クライアントはこちらの仕事内容を詳細に把握しているわけではないので、「たぶんこうだろうな」と都合よく解釈してしまうのです。

駆け出しのときはクライアントにあれこれと言いづらいこともあるかもしれませんが、後でトラブルになって不利な立場に陥るのは自分です。価格に関しては臆せずに確認しましょう。追加料金がかかるならば、事前に交渉するようにしてください。

納期の確認が甘い

スケジュールを確認して合意に至った後、仕事に取り掛かりますが、途中で内容が変更になったり、内容が追加されたりすることがあります。その都度、「その場合は納期がこれだけ延びますが、大丈夫ですか」と、くどいぐらい確認しましょう。そうでないと「いつまでも手元に届かない」とクレームにつながってしまいます。

修正の取り決めが甘い

クライアントワークで避けては通れないのが、成果物のクライアントチェックです。あれこれと修正が入るかもしれませんが、よくある困ったパターンが、

- **修正回数が多い**
- **確認の返事が遅い**
- **一度 OK を出したのに、後になって「やっぱりここを修正してほしい」と言ってくる**

です。大切なのは、**仕事を始める前に修正について取り決めを行う**ことです。「修正は○回まででお願いします。それ以上は追加料金がかかります」「○日までにお返事がなければ、このまま進行します」「一度 OK が出た後に修正を行う場合は追加料金がかかります」など、可能ならば契約書の段階で盛り込むようにしてください。

あまりうるさく言うとクライアントの心証が悪くなるのではと心配する人もいるかもしれませんが、こちらもクライアントの機嫌を取るために仕事をしているわけではありません。

ポイントとしては、修正の取り決めを行う際に**理由をきちんと伝える**こと。「ミスを防ぐためにも、修正のご指示は○回までにとどめてください」「外注者を含めてチームで仕事を行っているので、度重なる修正は追加料金がかかります」「修正が遅れると納期も遅れてしまい、他のお客さまにも迷惑をかけてしまう可能性があるのでご理解ください」と、自分本位でない理由を述べてください。

トラブルが起きた後にこうした話をしても意味がないどころか、もっと心証が悪くなってしまうので、事前に話しておくようにします。

伝えるべきことを伝えられる人のほうが、クライアントから信頼を得られるはずです。

フリーランスはスケジュール管理が命です。月の前半にクライアントAからの仕事をして、後半はクライアントBからの仕事をしようと思っていたのに、Aからの返事が遅れて月の後半に両方の仕事を行うという事態になると、どうしても仕事の質が落ちます。自分の信用を守るためにも、身勝手な一部のクライアントに振り回されないようにしてください。

また、自分が今どんな作業を行っているか、**仕事の進捗状況をクライアントと定期的に共有**しておきましょう。クライアントは想像以上にこちらの仕事の実態を把握していませんし、好意的に解釈してくれるわけでもありません。私自身も「今、あなたは何をしているんですか」というような問い合わせをクライアントから受けたことが何度かあります。

契約書における事前確認とその後の報連相は、初めて契約するクライアントほど念入りに行うようにしてください。

これでトラブル回避！　契約書のポイント

改めて、契約書を確認する際のポイントをまとめました。以下の内容が盛り込まれているかを、必ず確認しましょう。

- **契約形態**
- **業務の内容や範囲、納期**
- **修正について**
- **報酬や経費の支払い期日**
- **契約期間と更新、解除**
- **著作権など知的財産権**
- **機密保持**
- **損害賠償**

スクールやコミュニティに入っておくと、メンターやコミュニティのトップの方が、弁護士が監修した契約書を持っていることが多く、そのひな形を使わせてもらえます。トラブルがあった場合、周囲に相談することもできるので、やはりスクールやコミュニティという仲間を作れる場に身を置いておくことはおすすめです。

習慣として契約書を結ばない業界もあるかもしれませんが、自分の身を守るためにも、必ず契約書を発行してもらうようにしてください。

お酒の場についても注意しておこう

フリーランスにとって、お酒の場を含めてクライアントとの付き合いというのは重要です。もちろん、接待だけでなく、仕事仲間としてフリーランス同士で飲む場合もあるでしょう。

お酒の場は、お酒に強い人も弱い人も注意が必要です。酔った勢いで言ってはいけないことを言ってしまったり、口が軽くなって本音を言ってしまったりしたという失敗エピソードをたくさん耳にしてきました。

会社員ならばある程度は組織が守ってくれるかもしれませんが、フリーランスは誰も自分を守ってくれません。噂が広まってしまい、最悪の場合はその業界でしばらく働けなくなる危険性もあります。

私は、お客さまの前ではお酒を飲みません。もしやむを得ず顧客とお酒の場を介する場合には、会社員のノリは封印するようにしてください。

小さな手間が大きな差を生む！

1.01の法則

フリーランスとして仕事をする際に、覚えていてほしいのが**「1.01の法則」**です。

フリーランスは、会社員のように誰かに自分の仕事を管理されているわけではありません。「今日は面倒だな、今日だけなら手を抜いていいかな」「この部分は、手を抜いても誰も気づかないだろう」と思うこともあるでしょう。

しかし、一つ一つの「手間」を甘く見てはいけません。実はものすごく大きな差につながるからです。

特にSNSは、毎日投稿をしてリーチ数を増やしていかなければなりません。小さなことの積み重ねが、後で数字となって返ってくる世界です。

Instagramを例に挙げましょう。

どんなに小さなデザインでも、そこにこだわるかどうかで見やすさが変わってきます。ストーリーの写真やライティングも、しっかり考えられたものほど印象に残りますし、リールも、細部まで手が込んでいるものは見てわかりますよね。

こうした少しの「手間」を1年間続けた人と、少しの「手抜き」を1年間続けた人で、どのぐらい差ができるのでしょうか。

「1.00」を今の自分として、ほんの少しの努力（+0.01）を1年間続けると、$1.01^{365} = 37.7834343$になります。

小さな違いの積み重ねが、1年で「約37.8倍」になるのです。これを「1.01の法則」と呼びます。

では、1日の中でほんの少しサボってしまった場合はどうでしょう。少しのサボり（-0.01）を1年間続けると、$0.99^{365} = 0.0255179645$と、なんと**約0.03まで減ってしまう**のです。

他のライバルと比べたとき、この数字は致命的ではないでしょうか？

どんなに面倒でも手抜きをしない、＋αの手間がかけられるという人が、クライアントに選ばれます。その仕事ぶりは必ず相手に伝わるからです。

この「手間」の大切さを理解し、きちんと手間をかけている人と、なんとなくわかっているけれど実行していない人には、歴然とした差が出てきます。

何も、他人の2倍努力をしろと言っているわけではありません。しかし、ほんの「1.01」倍ぐらいなら、何とかできるのではないでしょうか。

起業家として結果を残している人も、フリーランスとして活躍している人も、「自分は特別なことはしていませんよ」と言います。しかし彼らは、ほんの少しの努力、少しの手間を惜しみません。それを毎日続ける習慣があるから、周囲と大きな差が生まれているのです。

ぜひ、1.01の手間を続けられるフリーランスであってください。

できるフリーランスはやっている！①

仮説思考

問題解決に最適！　仮説思考を活用しよう

フリーランスだけでなく、仕事を進めていくには、**「仮説思考」**がとても重要になります。

仮説思考とは、限られた情報から最も可能性の高い結論を「仮説（仮の結論）」とし、それに基づいて検証を行う思考方法です。

仮説を先に立てると、検証すべきことを絞り込めるので、効率よく結論にリーチできます。特に何らかの問題が発生している際に、スピーディに問題を解決することができます。

仮説思考を簡単に言い換えると、**「なぜだろう？」という疑問を持てる力**です。この力を鍛えることが、**問題解決能力を高める**鍵になります。

仮説思考が大切な理由の一つは、PDCAサイクルに必要だからです。

P＝Planを仮説を立てるととらえ、その対策を実行し（Do）、結果を検証し（Check）、次の行動（Act）につなげます。検証結果から、仮説に修正を加えていきます。PDCAサイクルは、仮説を検証するサイクルでもあるのです。

検証と修正を何度も行うことで、自分にとって最もいい方法を最短で見つけられます。問題解決に非常に有効なアプローチと言えるでしょう。

自分に合う勉強法を見つけたい場合、次のように仮説から導いた対策を検証・修正していきます。

●評判のいいアプリAを使ってみよう

→ 参考書で十分だったので解約

●公式問題集を週に1回は解こう

→ 問題に慣れてきた。有効だと思うので引き続き続ける

●参考書Bと参考書Cを毎日30分ずつ勉強しよう

→ 参考書Bはレベルが合わなかったので変更。参考書Cは使いやすいのでそのまま続ける。他にどんな参考書があるかは、口コミなどを参考に探してみる

●時間を測って問題を解いてみよう

→ 時間を測った勉強にはコツがあるようなので、SNSで知り合った高得点保有者にアドバイスを求めてみる

●単語アプリを毎日15分は勉強しよう

→ 通勤時間を利用して、毎日20分ぐらいは勉強できそうだ

具体的な例を挙げて考えてみましょう。

会社の昇進試験に必要なので、TOEIC に挑戦するとします。会社からは 800 点を求められているのですが、問題集を解いたら予想スコアが 730 点しか取れませんでした。

そこで、点数をあと 70 点上げるために、次ページのように仮説を立てるのです。

〈仮説〉

「Part5の正答率が悪い」

文法が弱いのではないか？（問題点の絞り込み）

↓ 分解する

●仮定法と比較級があやふやなのが響いているのでは？
●答えが正しい部分も、回答に時間がかかっているようだ
●実は語彙力も足りていないのでは？

↓ 対策をリストアップする

●評判のいいアプリAを使ってみよう
●公式問題集を週に1回は解こう
●参考書Bと参考書Cを毎日30分ずつ勉強しよう
●時間を測って問題を解いてみよう
●単語アプリを毎日15分は勉強しよう

ビジネスは仮説思考の繰り返し

前述した通り、ビジネスにおいては、仮説思考を繰り返し行うことで問題解決を図ります。私も実際に仮説を出して行動し、問題を改善できたことがありました。

例えば、「今月の売上目標50万円をどうやって達成しよう？」という場合も、この仮説思考を使います。

SNSのフォロワー数が伸びないときも、クライアントとの関係性に問題が発生したときも、「なぜ伸びないのか？　デザインが悪いのではないか？」「なぜ不満を抱かれてしまったのか？　報連相に問題があったのか？」と、この仮説思考を使って解決策を考えてきました。

仮説は、立てては検証し、修正するという繰り返しです。無駄になるということはありませんので、たくさん立ててみてください。

〈仮説〉

「売上目標50万円のうち、今月は30万円しか達成していない」

↓ 営業方法が間違っているのではないか？

●クラウドソーシングで受注をする

↓ 単価が安いので目標を達成できない

●交流会に行く

↓ ターゲットではない人がいて無駄が多い

●WantedlyかYentaを使う

本当にニーズがある人にリーチできそう！

「なんで思考」を癖にして、ビジネスセンスを磨く！

仮説思考だけでなく、**「なんで思考」**を癖づけて、思考力を鍛えてください。

上記の例でも、「交流会はどうも効果がない、やめよう」と思ったらそれで終わりです。そうではなく、次ページ図のように、「なんでだろう」と自分に問い続けることで、次につなげられるのです。

同様に、うまくいったときも「なんでうまくいったんだろう？」を突き詰めて考えます。フォロワーが増えたのはなぜか？　先月変えたデザインがよかったからではないか。やはりデザインに問題があったんだな……と検証ができるようになります。

交流会はターゲットにリーチできない

↓なぜ？

①友人から誘われる交流会は効果が薄い
自分のターゲットになりそうな人が集まる交流会に行こう

↓どうやって？

●Facebookで情報を集めてみよう
●大学のOB会は経営者が集まりそうだ
●知り合いAさんの人脈に頼ってみよう
or
②Yentaをもっと活用してみよう

↓どうやって？

●Yentaで1日あたりいいねを100件送ってみよう
●アポイントの件数を増やしてみよう

仮説思考に限らず、何かあったときに「なんでだろう」と考えられる人は、必ず伸びます。世の中の仕組みについて敏感になり、ビジネスのセンスが磨かれていきます。

例えば、吉野家の看板を見たときに「あ、吉野家だ。新メニュー食べたいな」と思って通り過ぎる人と、「そういえば、吉野家ってなんでオレンジ色の看板なんだろうな」と立ち止まる人と、どちらのほうがビジネスパーソンとして伸びるか、明らかですよね。同じように、「なんで店内はこのレイアウトにしているんだろう」「なんで客席の数はこの程度におさえているんだろう」と、自分の目の前の現象について、「なんで？」と考える癖をつけるようにしましょう。世の中に対する洞察力が深まり、自分の中の引き出しが増えていくはずです。

なお、よく「質と量」と言いますが、思考の場合は、質と量どちらも大切だと思っています。しかし、あえて言うならば、思考の量のほうが大事でしょうか。**「思考の質は、思考の**

量からしか生まれない」というのが私の考えです。

どんな些細なことでも構わないので、**「なんでだろう」と疑問を持ち、すぐに調べる**という習慣をつけてください。そこから、だんだんと思考の質を高めていくようにします。

思考の質が高まると、街を歩いているだけでいろんなことに気づき、発想を得られるようになります。Webのフリーランスに限らず、すべてのフリーランスに磨いてほしい力です。

「なんで思考」で顧客の本当のニーズを掴み出す

仮説を立てることは、**顧客ニーズを把握する**ためにも重要です。

実は、自分が本当は何を求めているのかを、顧客やフォロワーは自分で答えられないという場合がほとんどです。具体的に商品を提案されて初めて、「そう、これが欲しかった！」とわかります。そう言えるものを求めているのです。

顧客からそうした言葉を引き出すには、**仮説を立て続けて潜在ニーズを掴み出す**必要があります。

私が経営している一般社団法人SNSムービークリエイター協会のお客さまは、フリーランスを志望しています。では、彼らはなぜフリーランスになりたいのでしょうか。おそらく本人に聞いても、「サラリーマンを辞めたいから」「時間に縛られず働きたいから」という答えしか返ってこないでしょう。

そこで「なんで思考」を使い、次のようにニーズを深掘りします。

こうすると、ターゲットとなる人は「フリーランス志望の人」「副業をしたい人」ではなく、「ストレスフリーで自由に

①「サラリーマンを辞めたいから、フリーランスになりたい」

↓なんで？

人間関係が嫌だからか？

↓なんで？

日本企業特有の上下関係が合っていない？
そもそも人と関わりたくない？

↓おそらく……

「ストレスフリーに生きたいと感じているからでは？」

②「時間に縛られず働きたいから、フリーランスになりたい」

↓なんで？

9時〜17時の仕事が嫌だからか？

↓なんで？

午前中は寝ていたい？
趣味の時間を確保したい？
育児と仕事を両立させたい？

↓そこにあるのは……

「自分らしく生きたいと思っているのでは？」

生きたい人、自分らしく生きたい人」だとわかります。

「なんで思考」で顧客が本当に求めているものを言語化することは、商品開発においてもマーケティングにおいても重要です。

キャッチコピーにしても、「フリーランス志望の人は見てください」では響きません。「自分らしく生きたい人は、フリーランスという働き方があります」と、潜在的なニーズに訴えかけていかないと、顧客の心には届かないのです。

思考の質は鍛えればいくらでも高められます。「なんで思考」をとことん使い、お客さまから「そう、まさに私はこれが欲しかった！」という言葉を引き出してください。

できるフリーランスはやっている！②

徹底した顧客志向

顧客志向の企業・経営者こそ、長期的に伸びていく

営業、商品開発、マーケティング、宣伝・広告……といったビジネスにおけるすべての核（コア）は、**圧倒的顧客志向**であるべきだと考えています。「お客さまにどういうものを売り、どういう未来を届けたいのか」を常に思い描いていると、商品やサービスは高い満足度とともに売れていくのです。

美容室を例に挙げましょう。
「ここ最近は単価が落ちているから、お客さまにオプションをすすめよう。4,000円の集中トリートメントを○人に販売できれば、売上は○割ぐらい上がるだろう」と考えるのは並の経営者です。
これに対し、「ここ1週間ぐらい雨が続いているな。髪がうねってしまい、まとまらない人も多いだろう。癖毛を落ち着かせる髪質改善トリートメントをおすすめしてみよう。いろんな人に体験してほしいから、普段よりも数パーセント値引きをしてみようか」と、顧客のことを第一に考えるのが顧客志向の経営者です。

ビジネスなので収益を出さなければならないのは当然ですが、経営的な都合を優先させず、まずは顧客のことを考える

本書をご覧いただいた読者へ

フリーランスになるための完全攻略 17大特典 無料プレゼント

- 豪華特典 1 フリーランスで24歳OL女子が月100万到達した6ステップ（前編）
- 豪華特典 2 フリーランスで24歳OL女子が月100万到達した6ステップ（後編）
- 豪華特典 3 私がフリーランスで月収100万達成できた裏話
- 豪華特典 4 SNS運用代行マスター動画
- 豪華特典 5 よく聞かれるSNS運用代行12の質問
- 豪華特典 6 活躍しているフリーランスの特徴10選
- 豪華特典 7 絶対に失敗するフリーランスの特徴7選
- 豪華特典 8 伸びるフィード投稿作成徹底解説
- 豪華特典 9 知らなきゃ損！ SNS運用代行攻略マップ
- 豪華特典 10 初心者でもできる！ Canvaデザイン学習法
- 豪華特典 11 初心者でも簡単！ コンセプト設計マップ
- 豪華特典 12 フリーランスチェックリスト
- 豪華特典 13 投稿用インサイト分析シート
- 豪華特典 14 毎日のインサイト分析シート
- 豪華特典 15 Canvaマジで使える機能厳選6選
- 豪華特典 16 フリー素材完全版厳選12デザイン
- 豪華特典 17 フリーランス計画表

プレゼントの受け取り方法

このQRコードを読み取るだけ！

https://note.com/ayaice122105/n/n002eab3f6542?openExternalBrowser=1

企業や経営者のほうが、長期的に見ると伸びます。

顧客志向であるためには、**「どういう人に何を訴求し、何を届けたいのか」という本質的な部分がブレないように**してください。枝葉の部分にとらわれないようにしましょう。

先ほどの美容室の例で言うと、「自分のスタイルを貫いているお客さまに、トレンドを取り入れた扱いやすい髪型を提案する」というコンセプトが本質的な部分です。「子育て中の主婦が気軽に来られる美容室にしたい」「感度の高い若者が憧れるような店にしたい」という美容室もあるかもしれません。

それに基づき、品質・価格ともにターゲットに納得してもらえるメニュー作りや、ヘアケア・ヘアアレンジの提案、施術中に顧客がリラックスできる工夫（ドリンクやタブレットの提供など）を考えます。

宣伝として運用しているInstagramにおいても、美容室のコンセプトを大切にし、「誰に何を届けたいのか」を重視した投稿にしなければなりません。

よく、「ストーリーは何件アップしたほうがいいのか」「コメントは何件したほうがいいのか」などと聞かれますが、それは枝葉の部分。テクニックにこだわるのは否定しませんが、それだけではアカウントは伸びません。

特にSNS運用代行をしていると、枝葉の部分に目が行きがちな人は多く見られます。枝葉に惑わされず、クライアントのビジネスの本質を掴み、消費者に訴えかけるようにしてください。

顧客志向であるために、質の高い思考を行う

顧客を第一に考えるには、**顧客のニーズを掴む**ことが必要です。顧客を理解するためには、**顧客との時間を共有する**ことを心がけましょう。

日立製作所の創業者である小平浪平氏や、ゼネラル・エレクトリックの最高経営責任者であるジャック・ウェルチは、顧客とのコミュニケーションを重視していました。遠方の顧客の元にわざわざ出向き、時間を共有していたと言います。

顧客と一緒の時間を過ごす中で、顧客に直接「あなたは何を求めていますか？」と聞くのも一つの手でしょう。

美容室が、来店したお客さまを対象にアンケートを取り、「どんな部分を改善してほしいですか？」と聞いたとしましょう。そうしたら「メニューを安くしてほしい」という回答がダントツで１位でした。

しかし、本当にメニューを安くしたらどうなるでしょうか？　人件費削減のため、スタッフを減らさなければなりません。すると待ち時間が発生し、施術時間が長くなってしまうでしょう。薬剤を安いものに切り替えたら、仕上がりに満足できないかもしれません。お客さまに「いい香りだね」と好評だった店内用のアロマも、やめなければなりません。「安くしてほしい」というのは、本当に顧客が求めていることなのでしょうか？

前述したように、顧客は「自分が本当は何を求めているのか」を答えられない場合がほとんどです。お客さまの声とし

て上がってくるのは顕在ニーズにすぎません。「なんで安くしてほしいのかな？」「本当は何を求めているのだろう」と突き詰めて考えなければ、顧客の潜在ニーズにたどり着けないのです。

ここでも大切なのは、質の高い思考を行うスキルです。集めた情報を整理したり分類したりするだけでなく、そこに**どんな意味があるのかを考えなければならない**のです。

フリーランスとして大切にしたい3つのこと

フリーランスとして大切にしたいこと①守破離

フリーランスとしてビジネスを行うにあたり、「守破離（しゅはり）」という言葉を覚えておいてください。

守破離とは、千利休の教えを和歌で表した『利休道歌』に収められている、「規矩作法（きくさほう） 守り尽くして 破るとも 離るるとても 本を忘るな」に由来すると言われています。「決まりや作法を守り身につけ、改善のために型を破ったとしても、また基の型から離れて新たな型を生み出したとしても、基本の型を忘れてはならない」という意味です。

茶道、武道、芸能などにおいて、段階的に自分の型を確立していくプロセスが、この言葉に込められているのです。

これはもちろん、ビジネスにも使われています。

「守」上司・先輩の真似をして手法・技術を身につける

まずは上司や先輩のやり方、思想、技術を身につけ、自分のものにします。先達が積み重ねてきた知恵や経験の結晶を身につけるのは時間がかかるものですが、この基礎をおろそかにしては、たとえ次の段階へと進んだとしてもうまくいきません。

「破」基本を守りつつ、よりよい方法へと応用・発展させる

基本で学んだ型を分析し、自分の知識や経験を合わせなが

ら、よりよく改善するために型を破ります。

「離」自分のスタイルを確立する

型破りを繰り返し、自分のスタイルを生み出します。ここで初めて独創性（オリジナリティ）が問われます。

フリーランスとして成功を目指す場合、まずは営業の手法やSNSの伸ばし方を成功者から学び、自分のものにします。その後、より自分が「勝てる」方法を探していく。最後に自分のオリジナリティを出し、元の型から離れます。

本書では、ここまでさまざまな手法やプラットフォームを提案してきましたが、ぜひとも「もっとこっちのほうが使えそうだ」とあなたらしいやり方に進化させてみてください。

フリーランスとして大切にしたいこと②会社員思考

たとえフリーランスであっても、**「会社員思考」**は持ち続けてください。

会社員思考とは何かというと、つまり**「安定思考」**です。CHAPTER2でもお話しした通り、「フリーランスは不安定で、安定を捨てなければいけない」と誤解している人がとても多いです。やり方次第でいくらでも安定的に収入は入ってきますし、そうすべきです。安定的な収入は、心の安定をもたらしてくれます。

具体的には、クライアントと「〇カ月契約」「〇年契約」という**長期の契約を結ぶ**ことをおすすめします。

実はこの意味でも、SNS運用代行というのは非常に有利なのです。SNS運用代行というのは1～2カ月で効果が出るものではなく、最低でも3カ月、半年や1年で契約をするケースが多いので、フリーランスとして安定して食べていくのに向いている仕事なのです。

比較するとWeb制作などは短期案件が多いのですが、プログラミングの部分だけでも継続的に契約してもらい、安定して収入が得られるように工夫をしてみてください。

「自分はフリーランスだから不安定でも仕方がない」という妥協を、フリーランス自身がするのはおすすめしません。社会的な信用が得られず、ローンやアパートの審査、クレジットカードの発行審査で落ちてしまい、不利な思いをするのはご自身です。サラリーマンなどの給与所得者に劣らない、安定した収入を追求するようにしましょう。

フリーランスとして大切にしたいこと③因数分解

フリーランスを続けていると、壁にぶち当たることが多くあります。特に売上に関して、「どうしても目標に達成できないな」と思うときがあるかもしれません。

途方に暮れる前に、何事も因数分解をして考えるようにします。例えば売上は、以下の公式で表されます。

売上＝見込み客数×成約率×価格×リピート回数

このように表したときに、

- **各項目に対する自分（仕事）の現状**
- **各項目に対して強い部分、または弱い部分**

を算出します。

SNS運用代行を例に挙げましょう。SNS運用代行は、リピート回数はそれほど必要ありません。すると、大切なのは「見込み客数」「成約率」「価格」になります。

10万円を売上目標とするならば、1件2万円を5件成約させる必要があります。営業をかけて成約率が30〜50%と考えると、15人ぐらいの経営者に営業をかければ、目標に到達できるわけです。

さらに因数分解して考えると、「営業件数はまだまだ伸ばせるな」と思えるかもしれませんし、あるいは「これ以上営業はできないから単価を上げてみよう」と、戦略を変更できるでしょう。自分のブランディングによって変えていけばいいのです。

同様に、営業の成果も以下の公式に表せます。

営業の成果＝ターゲット×行動量×技術

こうしてみると、「自分は行動量が足りなかったな」「技術がまだまだだな」と冷静に分析できるのではないでしょうか？

目標を目の前にして漠然と悩む前に、まずは因数分解する習慣をつけましょう。意外にも、ゴールは目の前にあるかもしれませんよ。

会社員と全然違う！

フリーランスの時間管理術

朝型でも夜型でも、規則正しい生活を

フリーランスの時間管理術としてはまず、起きる時間と寝る時間をきちんと決めておくことです。

これまでさまざまな方の独立の相談に乗ってきましたが、せっかくフリーランスになったにもかかわらず、「朝起きられない」ことがきっかけで仕事に差し支えてしまい、廃業して結局は会社員に戻ったという人がかなり多くいました。

水は低きに流れ、人は易きに流れる。いったん自堕落な生活に陥ってしまうと、そこから立ち直るのは簡単なことではありません。フリーランスとして起業を決めたその日から、

- **起床時間**
- **仕事を開始する時間**
- **仕事を終える時間**
- **就寝時間**

最低限でもこの4つは決めておくようにしましょう。

朝型のメリットとデメリット

朝型か夜型か、意見が分かれるところですが、朝型であれば、朝5時に起床し、6時から17時まで働いたとしても数時

間は自由な時間を確保できます。1日がとても長く感じられるのでおすすめです。よく言われるのが、「早起きするぞ！」と決めて実際に起きられると、成功体験が積み重なるので自己肯定感が高まるということ。朝にバタバタせず、ゆとりをもって支度ができるのもメリットですね。

また、太陽光を浴びるとセロトニンが生成されます。セロトニンは脳内伝達物質の一種で「幸せホルモン」とも呼ばれており、リラックス効果やストレス解消、睡眠の質を上げる効果などが期待できます。太陽の光を浴びないと、うつのリスクが高まります。

朝型のデメリットとしては、夜中まで仕事をしなければならなかった場合、翌朝起きることができず、生活リズムが崩れてしまうという点です。ただしフリーランスは残業を強いられることがないので、自分で生活を立て直せます。

夜型のメリットとデメリット

夜型のいいところは、夜遅くまで仕事ができるので、キリがいいところまで仕事を終わらせられるという点でしょう。また個人的には、1日が短く感じられるので、その分心理的に集中することができると感じます。

夜型のデメリットは表裏一体で、1日があっという間に終わってしまうということに尽きますね。

「クロノタイプ」といって、個人が1日の中でどの時間帯に最も活動的になるかというのは、生まれつき決まっています。

自分のパフォーマンスが最大になる時間を把握し、それに基づいて生産性の高い生活パターンを確立しましょう。

フリーランスがなぜか苦手なタスク管理

タスク管理のポイント

時間管理の次に大切なのは、タスク管理です。

フリーランスの中には、タスク管理が苦手な人が実は結構います。会社員であれば、自分の仕事の範囲が決まっている場合が多いので「これを最優先に」「あれはその次でいい」と指示されることもありますが、フリーランスはすべて自分で判断しなければならないので、優先順位をつけられない人が出てくるのです。

タスクを管理するには、**いつまでに何をやるかを書き出し、優先順位に応じて週のタスクに落とし込み、さらに日ごとのタスクに落とし込みます**。コツは、頭の中で考えるのではなく、手帳などに書き出すこと。書き出すことで、漏れや抜けが防げるうえに考えがまとまります。

タスクに取りかかるときも、**「このタスクは○時○○分までに終わらせる」**とスケジュールに書き出します。ダラダラとやらず、計画的に仕事を行うことを徹底します。私はよくタイマーを使っていました。スマートフォンで構いませんので、タイマーを設定して時間内にタスクを終わらせるようにします。5～10分ぐらいの短時間だと疲れてしまうので、15分以上の作業が発生するときに使いましょう。

25分間作業し、5分間休憩をするという「ポモドーロ・テクニック」を使うのもいいかもしれませんね。

ポモドーロ・テクニックとは、集中する時間と休憩時間を繰り返すことで、効率的に仕事を行う時間管理術の一つです。人間の集中力を高め、生産性の向上につながる手法と言われています。手順は以下の通りです。

❶ タイマーを25分に設定し、仕事（または勉強）する
❷ 時間がきたら5分間の休憩を取る
❸ ①と②を4回繰り返したら、15～30分程度休憩する

そして、毎日の終わりにTo Doリストを見直し、翌日に終わらせるべきタスクを微調整して、頭を整理してから寝るようにしましょう。

すぐ実践！

収入を5倍にするためのポイント

仕組み化＆自動集客でビジネスを大きくする

フリーランスとして働き始めたら、収入を5倍にするためのステップに着手しましょう。
SNS運用代行を例に挙げて具体的に説明します。

❶ SNS運用代行のスキルを身につける

言うまでもなく、まずはノウハウを身につける必要があります。本やスクールから学びましょう。

❷ 実績をつくる

実際に運用代行を請け負い、実績をつくります。同時に自分のアカウントを伸ばし、ポートフォリオに記載できるだけの数字を残していきましょう。

❸ 営業する／紹介をしてもらう

クラウドワークスのようなクラウドソーシングや、Wantedly、Yentaのようなツールを駆使して営業を行います。もちろん、交流会や個人的な人脈など、オフラインでの営業も怠らないようにしましょう。
「満足いただけたな」と手応えを感じたら、他のお客さまを紹介してもらうように働きかけます。既存の顧客に紹介される顧客というのは、期待値や予算に相違がなく、人柄も保証されているので仕事がしやすいです。

④ +αの提案をする

Web制作のスキルがあるならば、SNS運用代行だけでなく制作の提案をしてもよいでしょう。あるいは、SNS運用代行の中でもオプションをつけるなど+αの提案をして、単価を上げるようにします。

⑤ 外注して仕組み化する

①〜④がうまくいくようになると、顧客がどんどん増えて忙しくなります。そこで、大事な部分だけに頭を使えるよう、選択と集中を行います。それが、CHAPTER3で説明した仕組み化です。私の場合、顧客とのコミュニケーション、営業、運用のコンセプト設計だけは自分で行います。それ以外の部分は他人（外注先）に任せてしまっても問題ありません。

⑥ 自動集客ができるようにする

営業代行を依頼して、何もせずとも仕事がくるようにします。あるいは自分のHPを立ち上げたり、SNS発信を積極的にして自分のブランドを強化したりすることで、仕事の依頼がくるような仕かけをつくります。

投稿や営業の代行を依頼できるようになると、かなり時間に余裕が生まれます。私は空いた時間を使い、HPやSNSの情報発信に力を入れるようにしました。その結果、DMやメールで仕事の依頼がたくさんくるようになったのです。HPもSNSも、つまりは自分の広告なので、効果的な広告宣伝を行えば、必ずリターンがあります。

営業代行には出来高払いでお金を渡し、また広告に力を入れて顧客からの発注がもらえるようになると、「お金とWebに働いてもらう」という感覚を得ることができます。

ビジネスのうち、**最も肝になる部分だけを自分が行い、枝葉の部分は人に任せる**。勝手に顧客が集まるような仕組みをつくり上げ、どんどんビジネスを大きくする。これが、収入を5倍にする秘訣です。

収入を上げるためのポイント

まずは手堅く月収20万円を目指そう

最初から月収100万円を目指すと挫折します。目標が遠すぎて達成できないと、心が折れてしまうもの。まずは手堅く20万円を目標にしてみてください。そこを達成したら、徐々に単価や目標を上げていきましょう。

月収100万円にはマニュアルが必要

マニュアルとは、ノウハウが書かれた説明書のこと。月収40～50万円ぐらいならばいくらでも一人の力で到達できるのですが、100万円を目指すとなると、運用を代行するだけでなく、コンサルにシフトアップしたり、人を雇ったりする必要が出てきます。そこに、再現性のある情報がまとめられたマニュアルがあれば、効率的な組織化ができてしっかり利益が得られるのです。自分自身がコンサルなど教える立場にもなれるので、収入の柱が増えます。マニュアルは、スクールやメンターなどから手に入れることができます。

CHAPTER

04

月収100万円を叶えるフリーランスの営業方法

選ばれるフリーランスに！

必ず役立つ営業前知識

「営業に苦手意識がある」というフリーランスは多いと思います。しかし、収入を上げようと思っている人、特に目標高く月収50～100万円を目指している人にとって、営業は避けては通れません。

ここではフリーランスが最大限活用できる営業方法を紹介します。

営業＝売り込みではなく、価値の創造である

大多数の人は「営業＝売り込むこと」と考えていますが、実はそうではありません。**営業とはお客さまの価値を創造すること**です。

今あなたが住んでいる家や、毎日利用する家電製品、万が一に備える保険なども、すべて営業がいるから手に入れられ、便利に使うことができているのです。「こんなものが欲しい」「こうしたいけど、解決法がわからない」と悩んでいる人に対して、ベストなものを提案し、貢献する。そんな仕事が営業なのです。

ただ、せっかく営業しても、断られるのがつらいという人は多いかもしれませんね。

営業というのは、基本的には自分がいいと思ったものだけを提案します。提案して断られてしまったら、それはご縁が

なかっただけだと捉えましょう。自分が傷つくことではなく、「目の前のお客さまのビジネスがよりよい方向にいくかどうか」にフォーカスしていれば、断られることはあまり気にならなくなるはずです。

SNS運用代行において、営業は自分を知ってもらう大切なきっかけです。そして、案件を継続してもらえたり、紹介案件をもらえたりすれば、こちらから頑張って営業する機会はほとんどなくなります。

一歩踏みだす勇気が必要なのは、最初だけなのです。

しかも、ものすごく大変な労力が必要なわけではありません。Wantedlyはボタンを押すだけ、クラウドワークスはメッセージを送るだけ、交流会は申し込みをするだけです。

営業について、自分の中でハードルを上げすぎないようにしましょう。

ここで差がつく！　フリーランスの営業術

フリーランスが身につけておくべきコミュニケーション術

フリーランスとして働く上で、人に与える印象はとても大切です。特に、営業で見知らぬ相手とコミュニケーションを取るときには、自分の仕事の行方も左右します。

中でも、好印象を与える上で重要な要素は次の4つです。

❶ 相槌の大きさ

仕事で初めて会う人のことを思い浮かべてみてください。この人が自分に興味を持ってくれているかどうかというのは、相手の相槌の大きさが一つの指標になるはず。

目を見て深く頷いてくれる相手に対しては、自然といい印象を抱きます。だからこそ、自分が大きく相槌を打てば相手もホッとしますし、適当に頷くだけなら「ちゃんと話を聞いているのか？」と不安になります。「私はあなたに興味を持っていますよ」というメッセージを態度で表すのはとても大切なことなのです。

❷ 表情の管理

人のコミュニケーションは、言葉のみで成り立っているわけではありません。人の表情や声の調子など、言語以外の要素が大きな割合を占めており、これをノンバーバル（非言語）コミュニケーションと言います。

人はどのようにコミュニケーションを受け取るかというと、例えば言語・聴覚・視覚から受け取る情報がそれぞれ異なった場合、相手から発せられる言語情報はわずか7%。非言語情報は93%にも及びます。そのうち、見た目や表情、身だしなみなどの視覚情報は55%、声のトーンや大きさ、話し方な

メラビアンの法則

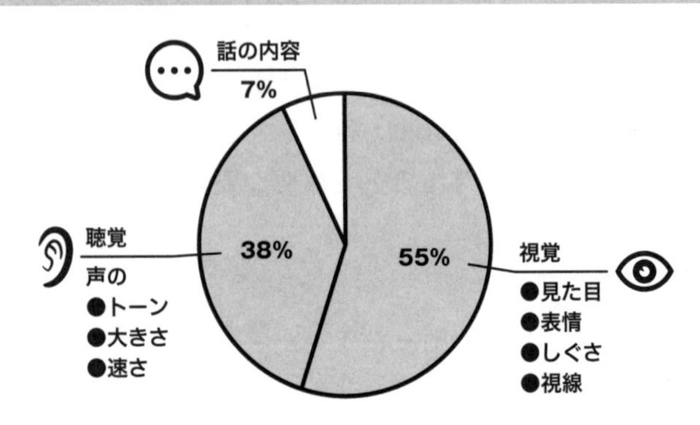

どの聴覚情報が38%です。これをメラビアンの法則と言います。

中でも表情は、書いて字の如く、人の感情が最も表れます。人の顔には20種類以上の表情筋があり、作られる表情の種類は60以上にのぼります。相手に合わせて表情を工夫すれば、いい印象を与えて信頼関係を築くことができるのです。

表情は相手の感情に合わせ、共感する表情をつくります。

一例ですが、

・相手が楽しそうなとき→同程度の楽しさの笑顔
・不安そうなとき→安心感を与える優しい笑顔
・悲しそうなとき→気持ちに寄り添う悲しい表情
・イライラしているとき→不安な表情、真剣な表情

などです。

以前とある企業の担当者にお会いしたとき、何を話しても無表情で反応がなく、驚いたことがあります。何か理由があったのかもしれませんが、社員と業務委託のフリーランスという立場では、信頼関係がないと同じプロジェクトを進めることはできません。そのときは、終始不安を感じながら仕事をせざるを得ませんでした。

気心の知れた同僚ならば表情管理も多少おざなりになることもありますが、知らない人と接することの多いフリーランスは、常に注意するようにしてください。

③ コミュニケーションにクッションを置く

皆さんは、例えば「お仕事は何をされているんですか？」

と聞かれて「SNS 運用代行です」と答えたとき、「ああ、SNS 運用代行なんですね！」と返事をしてもらえたら、「この人は自分の話を聞いてくれているんだな」と安心しませんか？

これは**「バックトラッキング」**と言って、心理学のカウンセリングなどに用いられるテクニックの一つです。日本では「オウム返し」と呼ばれており、相手が言った言葉を活用して言葉を返していくコミュニケーションです。

バックトラッキングには、相手への否定的な感情を打ち消して「自分は大切にされている」という感覚を与える効果があります。

ビジネスや日常生活などさまざまな場面で使えるテクニックですが、例えばプレゼンの質疑応答では、

「クラウドソーシングをどのように活用すべきか、もう少し詳しく教えてください」

「ご質問ありがとうございます。クラウドソーシングについて、私たちフリーランスがどのように活用したらいいかというご質問でよろしいですね」

というように、質問者に安心感と好感を与えることができます。

難しいテクニックではないので、商談の際に積極的に使えるようにしましょう。

また、ストレートに言うときつい印象を与えてしまう言葉を柔らかく伝える**「クッション言葉」**（またはビジネス枕詞）も役に立ちます。

クッション言葉は、次のような場面に必要になります。

(1) 依頼するとき

取引先や顧客に依頼するとき、相手が多忙だったり、面倒に思われたりする可能性を考慮して以下のような言葉を使います。

- **恐れ入りますが**
- **お忙しいところ恐縮ですが**
- **お手数をおかけいたしますが**
- **ご足労をおかけいたしますが**

(2) 断るとき

断ることを心苦しく思っていること、相手の気持ちをありがたく思っていることを伝えます。

- **あいにくですが**
- **身に余るお話ではありますが**
- **誠に心苦しいのですが**
- **ご期待に添えず申し訳ありませんが**

(3) 提案するときや何かを尋ねるとき

こちらから何かを提案したり、相手から情報や答えを引き出したりしたいときは、断る余地を持たせるような言葉を入れます。

- **差し支えなければ**
- **もしよろしければ**
- **ご迷惑でなければ**

(4) 反論するとき

取引先や上司に反論しつつ、相手の心象を損ねないように謙遜の言葉を挟みます。

・申し上げにくいのですが
・お言葉を返すようですが
・差し出がましいようですが

このようなクッション言葉を使うと、相手に嫌な思いをさせずに自分の意見を伝えられます。柔らかく丁寧な印象を与えられるので、バックトラッキングと合わせて積極的に使いましょう。

④ ほんの少しの言葉の選び方

同様に、相手を思いやる言葉遣いも大切です。「今日は疲れましたね」と言うよりも、「今日は頑張りましたね」と言われるほうが心地よいですよね。無闇に否定的な言葉を使わず、ポジティブな言葉に変えていくようにしましょう。

例えば次のように言い換えてみましょう。言葉の使い方を変えるだけで、ずいぶんと印象が変わるのではないでしょうか。

・「今月中に仕上げてもらわないと困ります」
→「今月中に仕上げてもらえると助かります」
・「3日間で企画書を準備することはできません」
→「4日間あれば、企画書をご用意できます」
・「今のままでは解決しません」
→「やり方を変えれば、解決できる可能性があります」
・「Instagramを理解していないので、仕事を任せられません」
→「Instagramを理解できれば、仕事をお任せします」

同時に、心づかいや感謝、ねぎらいをワンフレーズで表して声をかけることも重要です。

・心づかい

「すべて順調でしょうか」「トラブルはありませんでしょうか」

・感謝、ねぎらい

「お力添えいつもありがとうございます」「ご対応ありがとうございます」

・気づき

「そうだったのですね。存じませんでした」

言葉はビジネスパーソンの武器になるので、いつでも活用できるようにセンスを磨いておきましょう。

卑屈にならず、クライアントに意見を言う

フリーランスは自分の労働力をクライアントに買ってもらうという仕事であるため、必要以上に卑屈になる方がいます。

クライアントの言いなりになるばかりが、いいフリーランスではありません。もしクライアントの会社に問題が起きていたならば、私はその代表者に言うべきことを言うようにしています。クライアントの会社内にいるスタッフには心地よく働いてほしいし、仕事の成果はすべての人と共有したいと考えているからです。

フリーランスが意見を言う場面と、クライアントを尊重するべき部分との兼ね合いが難しいと感じる人もいるかもしれません。

プロジェクトにおいて、自分の役割が比較的軽いか、一部

分に過ぎないようであれば、クライアント側に何らかの問題があっても取り立てて言及しなくてよいでしょう。

一方で、クライアントと長期にわたって一緒に事業を行ったり、商品開発をしたりするような場合は、忌憚（きたん）なく意見を言うようにしています。ただしその際に気をつけているのは、クライアントが大切にしている考え方やコンセプトなど、**ビジネスの根幹に関わることに口は出さない**ということ。私の役割はあくまでもSNS運用を通じた集客なので、それ以外の部分には触れません。

フリーランスの仕事は、クライアントに媚を売ってご機嫌とりをすることではありません。クライアントのビジネスがうまくいくことこそが大事な目的です。どんなときも「イエス」ばかり言うのではなく、時には厳しい事実も伝えられるようになりましょう。

身だしなみを軽視せず、マナーも勉強する

フリーランスだからといって、いつでも自由な服装ができると思うのは間違いです。もちろん、普段の服装は自分の好みの服でまったく問題ありません。気をつけるのは、クライアントと接したり交流会に参加したりするときです。

Webのフリーランスに関しては、おしゃれさは特に求められません。それよりも清潔感が大切です。

- **服にシワがついていないか**
- **糸がほつれていないか**
- **靴のつま先がすり減っていないか**
- **髪の毛がパサついていないか**

・爪の手入れはできているか

「就職活動でもないのに……」と思われるかもしれませんが、やり手の経営者ほど、相手のこうしたポイントをよく見ています。結局仕事は人と人。つまらないことで自分にマイナス評価がつかないように、最低限の身だしなみは整えておきましょう。

服装に関して、基本的にはシンプルなものがおすすめです。色使いを極力少なくし、モノトーンでまとめるとよいでしょう。

TPOに合わせた服装であることも重要です。フリーランスで仕事をしていると、仕事の延長線上で「バーベキューに行きましょう」「海に行きましょう」と声をかけられることもあるかもしれません。そのときはきちんとその場に合わせた、動ける服装をしてください。いつもフォーマルな格好では、相手も壁を感じてしまいます。それだけでなく、TPOがわからない人だと判断されるでしょう。

なお、私は初対面のときだけジャケットを着ていきます。また、真剣な話をするときや契約・解約のとき、お金が絡む話の際は必ずジャケットを着るようにしています。

また、小さなことですが、食事の席ではマナーも気をつけてください。例えば、寿司屋で客が「おあいそ」と言ってはいけないのをご存じですか？　たばこや香水のにおいにも気をつけなければいけませんし、寿司下駄を手前に下ろすのはマナー違反です。経営者の方に「この人はちゃんとしているな」と思われるよう、最低限のマナーは勉強しておきましょう。

名刺のデザインも気を抜かない

フリーランスは自分の好きなように名刺を作ることができますが、基本的には「自分の好きなデザイン」ではなく「クライアントにしたい人たちに好まれるデザイン」を考えてください。女性の経営者を狙いたいならば柔らかい雰囲気、建築業界やリクルーティング業界を狙いたいならば、白や青などを基調にしたカチッとしたデザインです。

「一緒に仕事したい！」と思われるフリーランス

具体的に、どのような人が経営者やクライアントに好かれるのでしょうか。

❶ 礼儀正しく謙虚である

基本的なことですが、「おはようございます」「お疲れさまです」という挨拶は欠かさないようにしてください。また、言われたことに対して素直に「はい」と答えられるかも重要です。自分の仕事に対してプライドを持つことは大切ですが、上から目線で話をする人は敬遠されるので気をつけましょう。いつも謙虚さは大切です。

❷ 誠実である

こちらも当たり前ですが、嘘をつかないということ。特に、実績を誇張している人は多いです。しかし、仕事をしているうちに必ず嘘はバレるので気をつけてください。口がうまいだけというのも、あまり印象はよくありません。

③ 感情の起伏が激しくない

感情を入れながら仕事をすると、さまざまなことが進みません。話し合いが進まず、無駄なプロセスが発生します。真剣に仕事をしているからこそ怒りや悲しみが発生するのは理解できますが、やはり仕事と感情は切り離しておきたいもの。また、誰かの顔色を窺いながら仕事をするのも無駄なので、淡々と仕事ができる人のほうが望ましいです。

④ メンバーを尊重できる

結果を求める人はついついスタンドプレーに走りがちなのですが、立ち止まって周囲のメンバーを尊重するようにしてください。メンバーから「もっとこうしたほうがいいのでは」という意見が出たときに、立ち止まって受け止める姿勢が大切です。クライアントワークを行うので、フリーランスであっても協調性やチームプレーは求められます。

⑤ 話しかけやすい

人として魅力があるというのは、やはりどこに行っても強いです。愛嬌があったり、表情に魅力があったり、所作が素敵だったり、言葉遣いが丁寧だったり……。何人かのフリーランスを比べたときに、仕事のスキルが同程度なら、人間的に魅力がある人に仕事を頼みたくなるというのが人情でしょう。

⑥ 相手を思って提案してくれる

これは会社の仕事も同じなので、イメージしやすいでしょう。自分の損得には関わりなく、相手のことを第一に考えて提案を行うということです。そういう気持ちは、「自分のことを思ってくれているのだな」と相手に必ず伝わります。

⑦ 先回りして行動してくれる

「○○をやっておいてください」と言われる前に、先回りして行動できる人は仕事を任されます。過去のエピソードですが、クライアントに「LINE 公式アカウントを作っておいてください」と言われる前にアカウントを作成し、挨拶メッセージを作っておいたことがあります。タイミングを見て「LINE 公式アカウントが有効かと思いますので、いかがでしょうか。メッセージも作ってみました」とクライアントに提案したら、とても喜ばれたことがあります。相手を思えばこそできる行動です。

⑧ 発言と行動が一致している

「これをやりましょう」「これをやっておきます」と言ったきり、やらない人はとても多いです。当たり前のことではありますが、言ったことは必ず実行する。これができる人は、一緒に仕事がしたいなと感じてもらえます。

⑨ 話題が豊富で知的

交流会に行って話をしたり、経営者とご飯に行って情報交換をしたりするときに、話題が豊富で知的な人は当然ながら人気が集まります。業界の情報を仕入れておくのは当たり前のことだと思いますが、時事ネタなども押さえておき、自分なりの意見を持っておくとよいでしょう。

⑩ 品がいい

もしあなたがクライアントに誰かを紹介したとして、その人が下品なことや失礼なことをしたら、自分の点数がマイナスされると思いませんか？

誰かが自分を紹介してくれたときも同じことです。自分がはしたないことをしたら、紹介してくれた人に迷惑がかかる。そしてもう二度と誰も自分のことを紹介してくれません。品よくしておくというのは、自分にとっても周囲の人にとっても大事なのです。

⑪ 顧客の業界をよく知っておく／豊富な商品知識がある

これは当然なのですが、意外とできていないフリーランスが多いように思います。何かを聞かれたときに、クライアントの業界の事情に応じて自分の商品の知識を説明できなければ、信頼を得ることはできません。

⑫ 問題解決能力がある

クライアントワークはお客さまの悩みを解決することなので、一つの問題を解決し、また別の問題を解決する。この積み重ねが信頼につながります。

⑬ 個人ブランドが確立している

「美容室に得意な、SNS運用ができるAさん」というように、ブランドが確立されていると、紹介案件をもらいやすいです。自分自身も業界に詳しくなり、どんどんいい仕事ができるようになるというメリットもあります。「この業界に強くなりたいな」と思ったら、積極的に看板を掲げてみてください。

案件を引き受けるべきか悩んだらここをチェックしよう！

フリーランスで仕事をしていると、引き受けるべきかどうか悩む案件がたまにあります。その時点の自分が引き受けるべきかどうかの判断については、主に次のポイントを見て考えてみてください。

- **価格**
- **手間**
- **実績になるか**
- **自分が成長できるか**

辞退すべき仕事としては、相場よりも明らかに価格が低いという仕事です。担当者が業界の事情を知らないことが多く、仕事をしていてトラブルになることもあります。ただし、「○万フォロワーのインフルエンサー○○さんをお手伝いしました」「上場企業の○○を担当しました」というように、自分の宣伝につながる仕事は積極的に引き受けましょう。こうした仕事は、多少価格が相場より安くても受けるべきものです。

成長につながる仕事かどうかも、よく見て判断したいものです。駆け出しの頃はすべてが実績になって成長につながりますが、経験値が上がると自分には不要な仕事も出てきます。

SNS運用代行であれば、投稿の代行→コンセプト設計→顧客のレポーティング・ミーティング→インサイト分析というように、だんだんとステップアップしていかなければ、仕事の単価も上がりません。

共通して、単純労働に近いような仕事や、あまりやりたくない仕事、担当者が外注を見下しているような雰囲気であるものも、断ったほうがベターです。「この人は、なんだか合わなさそうだな」という直感は、意外と的中します。

自分の中で「ここに行きたい」と思っている目標の糧(かて)にならない不要な仕事は手放す、断るという勇気も必要です。

身につけたい！

クライアントに喜ばれる4つのスキル

ここでは、クライアントに選ばれるために必要なスキルを紹介します。

①マーケティングの知識

マーケティングの部署を持たない企業もあるので、マーケティングの知識は最低限でもあると有利に働きます。

その中でも、特に「LPO」と「L ステップ」などはSNS運用代行にも活用できるので、簡単に説明します。

•LPO（ランディングページオプティマゼイション）

LPO とは、LP（インターネットユーザーが、広告や検索結果などを使ってクリックし、最初にたどり着くページ）をユーザーニーズに応じて最適化し、ページのCVR（コンバージョンレート＝成約率）を上げるマーケティング手法のことです。サイト訪問者の途中離脱を防ぎ、成約まで導くことを目的にします。「商品やサービスを販売したい」「資料請求を増やしたい」「登録会員を増やしたい」という、クライアントが求めるCVRを高める手伝いを行います。

•L ステップ

L ステップとは、LINE公式アカウントを使い、顧客の育成や集客・マーケティングを行うための配信用のツールです。

Ｌステップを活用することで、自動でのステップ配信やセグメント配信、ユーザーの管理やメッセージによる配信効果の計測が可能となります。

〈Ｌステップ導入のメリット〉
・コストを削減できる
・マーケティング戦略に必要な情報を得やすい

〈Ｌステップ導入のデメリット〉
・月額費用がかかる
・配信前の準備が必要
・周知に時間を要する

デメリットはあるものの、人手不足の個人事業主や中小企業では、Ｌステップの導入により得られる効果は大きいといわれています。

②コピーライティング

誰しも心当たりはあるでしょうが、ほんの一言、二言の言い回しの違いで「クリックしてみよう」と思うものもあれば、特に興味を引かれずそのままスルーするものもあります。ライティングスキルは、どんな場面でも重要です。

④行動心理学

行動心理学とは、アメリカの臨床心理学者ジョン・ブレイザー博士が確立した学問で、日常生活だけでなくビジネスでも活用されています。
代表的なものを紹介しましょう。

・クレショフ効果

画像や映像を見たとき、頭の中で勝手に意味づけや関連づけをしてしまう心理現象

例）新商品＋青空の写真や水しぶきの写真＝爽やかなイメージ

・テンション・リダクション効果

高額商品を購入した後は財布の紐が緩みやすく、安価な商品が購入されやすい現象

・ザイオンス効果（単純接触効果）

同じ情報に繰り返し接触するうちに、好感を抱いたり好印象に変化したりする現象

①〜④のスキルには、消費者が商品を購入するまでの消費行動に関する知識が詰まっています。この知識を身につけることで、クライアントに求められるフリーランスへと成長できるはずです。

行動心理学を取り入れたマーケティングの書籍はたくさん出版されているので、ぜひ読んでみてください。

安定して食べていける！

紹介案件をもらうポイント

フリーランスにとって最も“おいしい”のは、**紹介案件**をもらうことです。営業の手間が省けるうえに客筋もよく、大多数は報酬も悪くありません。また、紹介案件は報酬を交渉する余地があります。キャリアを積んだフリーランスは、ほぼ紹介案件だけで食べていくことができます。

ここでは、紹介案件をもらうコツをお伝えします。

①まめに連絡する

携帯やPCでメールを見たら、基本的にはすぐに返信。その場で対応するのがどうしても難しい場合は、「今は出先なので、後ほどご返信します」と一言入れておくだけでも十分です。また、報連相もこまめに行いましょう。クライアントは、予想以上にこちらの動きをよく把握していません。「今日はこのようなことをしました」「今度これを実行してみようと思うのですが、いかがでしょうか」と、こまめな報連相を心がけてください。小さなことですが、この積み重ねが信頼につながります。

なお「即レス」の目安は、だいたいですが1時間以内です。

②自分のスキルを伝えておく

ビジネスの種はいろいろなところに転がっています。もしあなたがSNS運用代行以外に、HPやECサイトの制作ができるようであれば、「実はこんなこともできるんです」と積極的に伝えるようにしておきましょう。現在のクライアントはSNS運用代行ができる人を探しているだけかもしれませんが、そのクライアントの知り合いはECサイト制作ができる人を探しているかもしれず、紹介につながる可能性があります。

③+αの提案をする

クライアントに言われたことをただ実行するだけでは、顧客満足度は普通レベルを越えられません。満足させられるレベルに到達するには、**クライアントの期待以上のことをする**必要があります。

過去に私のお客さまで、「ハチミツを通販サイトで売りたい」という製菓店の方がいました。ただ私は、それだけではあまり効果的でないと考えたので、「ハチミツを売りたいならば、通販サイトをこのように作ったほうが見やすいし、売りやすいと思います」と、いろんなアイデアを盛り込んで提案をしました。そうしたら、「自分たちのことをよく考えてくれている」と、とても喜んでもらえました。

過去の経験からすると、地方でローカルビジネスを営んでいる方は、周囲にWebの技術やノウハウを持っている人が少ないのか、常にそういったことができる人を探しているように思います。沖縄のある企業の方と契約をいただいた後に、「こういう経営者さんがいるのですが、会ってみませんか」「こういうことができる人を探しているのですが、あやさんどうですか」とたくさん声をかけてくださったことがあります。**地方はライバルが少なく、地域のネットワークが強いので紹介案件ももらいやすい**です。ぜひ積極的に狙ってみてください。

使えるツールをフル活用！

月収100万円を叶える営業方法

これで失敗しない！　効果的な営業術

営業をする際には、漫然と話すだけでは効果は出ません。具体的には次のようなステップが必要になります。プレゼンやイベントなどでも同じです。ここでは、SNS運用の営業を例にお話しします。

①「果たすべき目的」を決める

今日のミーティングではSNS運用を理解してもらいたい、自分に任せるかどうか決めてもらいたいという目的をまず決めます。

②「聞き手のゴール」を明確化する

「SNS運用代行を通じて集客に成功し、売上を○%上げること」などと、相手にとってのゴールをはっきり提示できるようにしておきます。

③聞き手の現状の心理状態を考える

聞き手、つまり営業先が何を考えているのかを想像します。「SNS運用ってどんなメリット・デメリットがあるのだろう」「実際どのぐらい効果があるのだろうか？」「今日営業に来ているこの人（自分）は信用できるのだろうか？」と、相手の心理状態を考えます。そして、その不安を払拭する会話をあらかじめ練っておきます。

④ゴールと現状とのギャップを指摘する

ギャップとは、②で出した聞き手のゴールに対する現状との差です。X（旧 Twitter）や Instagram を開設しているけれど、フォロワー数が目標にまったく達していない、更新頻度が少ないなど、聞き手が目指す目標に足りていないものを指摘します。

⑤ギャップを埋めるための要因を提案する

④で指摘したギャップを、どのようにしたら埋められるかを話します。ここで、なぜ自分という人間が必要なのかを論理的に説明できるようにしてください。

この５つのステップを意識するだけでも、かなり効果的な営業ができるようになります。慣れるまでは、細かく書き出して資料を作るようにしてください。

フリーランスが使える営業ツール

ここでは、営業ツールごとに特徴とメリット・デメリット、使い方のコツを説明します。

おすすめな営業ツールや方法には次の６つあります。

- **Yenta**
- **クラウドワークス**
- **ランサーズ**

- ココナラ
- メール営業
- SNS

それぞれ詳しく見ていきましょう。

スマホだけで経営者とアポが取れる！「Yenta」

Yentaはビジネスマンとビジネスマンがつながる、ビジネスマッチングプラットフォームです。マッチングアプリのビジネス版で、「いいね」を送り合い、マッチングした人とメッセージを送れるようになります。もう少し詳しく解説します。

〈Yentaとは？〉

株式会社アトラエが提供するビジネス版マッチングアプリです。47都道府県で利用が可能で、東京、大阪、神奈川、愛知、埼玉、千葉の順でマッチング数が多い傾向にあります。

Yentaトップページ

登録時には審査があり、登録ユーザーは2万人以上、累計マッチング数は500万件を超えています(2022年12月時点)。業種も経営者、投資家、プロダクトマネージャー、エンジニア、デザイナーなどさまざまです。

毎日12時にAIがおすすめする10人のプロフィールが届き、「興味あり」「興味なし」とスワイプするだけで、お互いに興味を持ったビジネスパーソン同士がマッチングします。その後、メッセージのやりとりを経て情報交換などの交流が可能です。

Yentaマッチングページ

なお、マッチング後にメッセージを送るかどうかはユーザー次第。カジュアルに使えるのもこのアプリの魅力と言えるでしょう。

通常は登録者の位置情報から、会える距離にいる相手を優先的にリコメンドされますが、指定した特定のエリアでマッチングしたい相手をフィルタリングできる「テレポート機能」もあるので、活用してみてください。

Yentaに登録しているユーザーは、基本的にはWeb関係の仕事をしている人が多いように思います。ただし、保険や不動産の営業を目的に登録をしている営業マンも多いので、そうした方は避けるようにしましょう。

〈Yentaの料金プラン〉

- **フリープラン：0円／月。**毎日10人のレコメンドを受けたり、メッセージを送受信したりすることが可能。1日のスワイプ・月間マッチング数はそれぞれ10人まで可能
- **アクティブプラン：1,000円／月。**フリープランの内容に加え、48時間以内に「興味あり」をくれた人を閲覧可能
- **アドバンスプラン：2,500円／月。**1日のスワイプ数は20人、月間マッチング数は15人まで可能。「興味あり」データの閲覧は1カ月以内
- **プロプラン：5,000円／月。**1日のスワイプ数は20人、月間マッチング数は20人まで可能。「興味あり」データは、すべての期間・全員のデータが閲覧できる。フィルタ機能・テレポート機能も使用が可能

〈メリット〉

オンラインでミーティングができるので、短時間でさまざまな方に会って効率的な営業活動ができます。また、業種や

会いたい人などの絞り込みも簡単なので、無駄がありません。オフラインで会う際も、比較的すぐにアポを取れるように感じました。自分の強みで勝負したいという人に向いています。

〈デメリット〉

自分が営業されるだけで終わってしまったり、雑談だけで仕事につながらなかったりする場合もあります。ただ、これはあくまでもやり方次第。ターゲットの絞り込みをしっかりとして、「この人と面談をするならば、どのように話を持っていけば自分の仕事につながるだろうか」というのを考えた上でミーティングをするようにしましょう。自分が主導権を握っておくのが大切です。

〈ポイント〉

❶ プロフィールは自己紹介文！　結論から述べる

このプラットフォームの説明として、マッチングアプリの企業版とお伝えしました。つまり自分はどんな人なのか、どのような仕事をしていて、どんな実績があるのか、自分やビジネスの強み・差別化ポイントは何なのかという結論から端的にまとめるようにしましょう。箇条書きでまとめるとすぐに読んでもらえます。

また、自分がどんな人と仕事がしたいのかも盛り込んでおくと、希望と異なる人からのコンタクトを少なくできます。

❷ 相手は自分の届けたいターゲット層か見極める

マッチングアプリの形式、つまりまったく知らない人に営業をしていくことになるため、営業の難易度としては高くなります。そのため、マッチングした人はどんな人なのか、自分の届けたいターゲット層にピンポイントで届けることができるのかというのを、やり取りや面談などでしっかりと見極めるようにしましょう。

国内最大のクラウドソーシングサービス「クラウドワークス」

クラウドワークスは、クラウドソーシングのプラットフォームの一つです。クラウドソーシングとは主に企業などがインターネット上で不特定多数に業務を発注する業務形態のことで、フリーランスや個人などが受注します。プログラミングやデザイン、ライティング、動画編集、アンケート回答、口コミ投稿などさまざまな仕事が発注されています。

本業として仕事を請け負うフリーランスから副業をしたい人、おこづかい稼ぎをしたい人まで、多様な人が利用しています。もう少し詳しく解説します。

〈クラウドワークスとは？〉

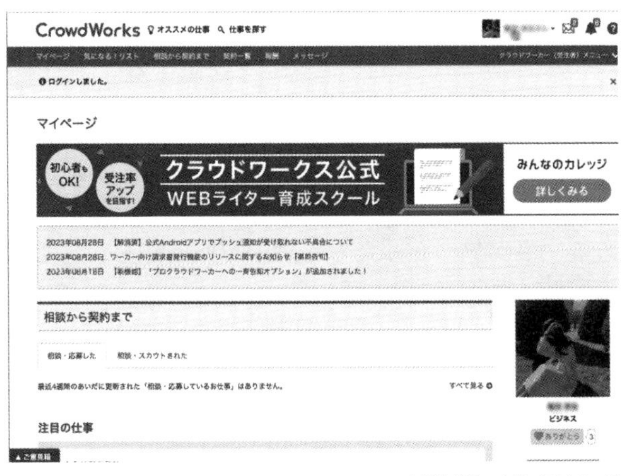

クラウドワークス　マイページ

株式会社クラウドワークスが提供する、登録ユーザー558.8万人、仕事依頼数923万件（2023年3月時点）の国内最大手クラウドソーシングサービスです。クラウドワークスで取り扱いのある仕事カテゴリーは250種類以上、クライアント数は90.5万社にものぼります。

クラウドワークスは、仕事内容に合わせて3つの依頼形式があります。

- **タスク形式**：クライアントの仕事依頼に対して成果物を納品した後に報酬を受け取れる
- **コンペ形式**：成果物を提出した後に、クライアントにより採用された成果物に限って報酬を受け取ることができる
- **プロジェクト形式**：クライアントに対して交渉を行い、契約を交わしたのちに納品すると報酬を受け取れる。この形式に限り、契約時に金額を決める「固定報酬制」と、稼働時間に対して報酬を決定する「時間単位制」がある

「仕事を探す」のメニューから募集中の仕事一覧を閲覧し、興味のある仕事が見つかったら希望の契約条件を設定し、メッセージを添えて応募します。メッセージには経歴、スキル、応募動機などを記載しましょう。報酬内容は明示されていることもありますが、提案や見積もりを希望される場合もあります。

クラウドワークス　仕事を探すページ

クラウドワークスには、クライアントとの契約が成立したときにクライアントが仮払いを行うシステムがあります。納品後、検収が終了した段階でクラウドワークスからワーカーへの支払いが行われるので、報酬の未払いが避けられます。ま

クラウドワークス　応募ページ

た、万が一クライアントと連絡が取れなくなった場合も、事務局が間に立って調整・検収を行ってくれるので安心です。

評価や月間の獲得報酬額が一定以上になると、認定制度「プロクラウドワーカー」として認定されます。認定されると仕事が集まりやすくなり、収入向上も期待できます。

〈クラウドワークスの利用料金について〉

仕事を受注するまでは無料です。そして注意いただきたいのは、仕事を遂行して報酬が確定した場合、受注者が受け取る報酬金額の5%～20%がシステム利用料として徴収される点です。

【報酬額の算出方法】

報酬額（税抜）＝（契約金額＋消費税）－（システム手数料＋消費税）－契約金額の消費税

【手数料】

- **タスク形式**：報酬額の20%

例）契約金額10,000円（税抜）の場合、受注者の受取り金額は8,580円

※なお、上記の金額の他に振込手数料がかかるので注意。楽天銀行は税込み100円・他行は税込み500円

- **コンペ・プロジェクト形式**

❶ 20万円超の部分：報酬額の5%

❷ 10万円超20万円以下の部分：報酬額の10%

❸ 10万円以下の部分：報酬額の20%

報酬は銀行振込みです。支払いは、15日締めの月末払いと、月末締めの翌月15日払いの2種類あります。早めの出金を行いたい場合はクイック出金が利用できますが、利用料5.0%がかかります。

さまざまな仕事があるので、気になった仕事に募集してみてください。募集先の担当者の目に留まったら返信がくるので、面談をした後に契約するという流れです。基本的には面談はしたほうがよいでしょう。

なお、特にライティングなどの完全に自分がゼロからつくる、クリエイティブな案件については、クライアントが正式な発注前に能力を見るためにテストを設けているものもあります。その際にはあらかじめ、テストの成果物であっても、基準に達していた場合と達していない場合には支払いが発生するのかしないのかまで、しっかりと確認しておくようにしましょう。

〈メリット〉

いろいろな仕事があるので、簡単に案件を得ることができます。経験や資格、スキル、専門知識が不要な仕事も多いので、初心者でも仕事をしやすいです。駆け出しで、人脈やスキルがなく、とにかく経験を積んで自分の実績にしたいという人には向いています。

〈デメリット〉

デメリットは単価が低いことです。SNS運用代行の相場は月額1～3万円程度のようですが、ライティングや記事執筆、単純作業系の仕事の単価は、「1500文字の記事作成150円」「文字単価0.5円」「見出しリストアップ10件納品で250円」「アンケート回答1件5円」など、全体的な相場が非常に低いです。クラウドワークス上で仕事を行うだけでは、自分の仕事の単価はいつまでたっても上がりません。

クライアントの信用を得て積極的に価格交渉をしていくか、「クラウドワークスは実績を積む場」と割り切り、違う場所で稼ぐ仕事を得るように心がけるか、自分なりに工夫をしないと生活していくのは厳しいでしょう。

〈ポイント〉

① プロフィールには思いや実績を書く

プロフィール文には、まず自分の思いや得意分野を書くことが大切です。

そして、信頼を得るためにも仕事の実績は必ず書くようにしましょう。数字を意識して記載をしてください。もし実績がなかったとしても、今までどのような仕事をやってきたのか、どういう部署にいたのかという経歴は書くようにしましょう。

例）「事務職を3年間経験しました。細かい作業が得意です」など

ちなみに、ユーザーネームについては、フルネームやどういう仕事をしているのかがわかるものにすると、相手に見てもらいやすいです。

② 副業でやる場合、自分から伝える必要はない

「副業でやっています」と書くと、いかにも「片手間でやり

クラウドワークス　プロフィールページ

ます」と言っているようなもので、印象がよくありません。嘘をつく必要はありませんが、聞かれたら答えればいいだけで、自分から言う必要はないでしょう。

③ 追加注文はこちらから請求する

追加で業務の指示がある場合は、料金が発生するかしないかの確認と、業務を行った分の請求は必ずするようにしましょう。曖昧にしてはいけません。

④ 表示を新着順にして、即応募即採用を狙う

クラウドワークスを利用するお客さまは、たいてい急いでいるものです。他の人からの応募がくる前にいち早く応募し、「この人でいいかな」と採用してもらえるようにします。

以上のポイントは、次で説明する「ランサーズ」と共通です。

単価の高い仕事もある「ランサーズ」

ランサーズも、クラウドソーシングのプラットフォームの一つです。クラウドワークスとランサーズはライバル会社で、システムもほぼ同じ。どちらか一つを登録するだけで十分です。もう少し詳しく解説します。

〈ランサーズとは？〉

ランサーズ株式会社が運営する、登録ユーザー129万人、仕事依頼数210万件のクラウドソーシングサービスです。クライアント数は60万社以上にのぼります（2023年3月時点）。

ランサーズは、応募から受注まで次の4つの方式があります。

- **プロジェクト形式**：内容や金額・納期を提案し、見積もりを出す形式。相談のうえ選ばれると受注される
- **求人募集形式**：継続案件の求人に応募し、面談して採用が決まると受注される
- **制作物コンペ方式**：デザインなど実際の制作物を提出し、依頼者が検討。採用されると、受注・支払いとなる
- **タスク方式**：作業結果を提出し、承認された作業量に応じて報酬を受け取る

ランサーズにもクラウドワークスと同様、仮払いシステムがあります。また認定制度というものがあり、一定の基準を満たした人は「認定ランサー」と呼ばれます。

なお、ランサーズはスキルアップサポート、税務サポート、福利厚生（旅行、ショッピング、食事、エンターテイメントなど）のサポートが充実しています。

ランサーズ　トップページ

〈ランサーズの利用料金について〉

仕事を受注するまでは無料です。仕事を遂行して報酬が確定した場合、受注者が受け取る報酬金額（税込）の16.5％がシステム利用料として徴収されます。

報酬は銀行振込みです。15日締め当月末払いと、月末締め翌月15日の月2回の支払いがあります（※振込手数料は楽天銀行で税込み110円。他行で税込み550円）。

仕事の案件数はクラウドワークスのほうが多いですが、種類によってはランサーズのほうが強い場合があります。

クラウドワークスとランサーズを比較すると、ランサーズのほうが仕事の単価が高い傾向にあるようです。ただこれはWeb制作の場合で、すべてのケースに当てはまるわけではありません。

〈ポイント〉

クラウドワークスもランサーズも、クライアントとの価格交渉を積極的に行うようにしましょう。クラウドソーシングを利用している担当者は、実際の相場をあまり知らず、クラウドソーシング上の価格を見て「だいたいこのぐらいかな」と価格を設定していることが多いです。そのため、「このぐらいのスキルのある人には、○○円程度の報酬を支払うのが相場です」と、資料などを見せて交渉するようにしましょう。

また、オプションなどをたくさんつけて単価を上げるようにしてください。クラウドソーシングを利用して稼ぎたいのならば、営業力が問われます。

ただし基本的には、ある程度実績を積んだらクラウドソーシングは卒業し、単価を高く設定できる場所で仕事をするようにしましょう。

自分のスキルをマーケットに出品する「ココナラ」

ココナラもクラウドソーシングのプラットフォームの一つです。クラウドワークスやランサーズが、ワーカーが案件に募集する形がメインなのに対して、ココナラでは自分が仕事内容（サービス内容）を決めて出品し、ユーザーがそれを選んで購入します。

Webサイト制作、Webデザイン、プログラミング、動画編集、ナレーション、資格取得サポート、悩み相談、占いなど、さまざまなジャンルが出品されています。

もう少し詳しく解説します。

〈ココナラとは？〉

ココナラ　トップページ

株式会社ココナラが運営する、会員数314万人（2022年8月時点）のクラウドソーシングサービスです。サービス出品数は50万件以上あり、カテゴリは450種類以上（2022年6月時点）。ユーザー、出品者ともに、個人・法人どちらのケースもあり、累計480万件以上のスキルが売買されています。

Webサイト制作などの「制作系」の場合は、商品を制作して納品することが多いですが、コンサルティングやマーケティングなどの「相談系」の場合は、ビデオ通話サービス（Zoom）または電話サービスなどを利用してサービスを提供します。

出品者に対しては、購入者が5段階で評価を行い、感想などのコメントを送ることができます。評価は4～5が平均的で、星3の評価は低評価に入ります。

また、販売実績や納品完了率、評価などの基準から、取引状況によって「レギュラー」「ブロンズ」「シルバー」「ゴールド」「プラチナ」の5段階のランク認定制度を導入しています。ランク更新日は毎月1日で、それぞれ基準を満たしたランクに自動変更されます。

〈ココナラの利用料金について〉

出品するスキルのカテゴリごとに、最低価格が設定されています。そのため出品者は、必ず最低価格以上の金額で出品する必要があります。

【各カテゴリー最低価格の例】

・ホームページ作成：20,000 円
・Web サイトデザイン：20,000 円
・LP 制作：15,000 円
・EC サイト制作：15,000 円
・Web サイト修正、カスタム、コンサル：3,000 円

手数料は、出品者と購入者の両方が負担します。

・出品者：一律で税込 22%
・購入者：税込 5.5%

なおココナラでは、サービスに追加される「有料オプション」と、出品者が任意で追加支払いを行う「おひねり」があるのも特徴です。有料オプションの価格は出品者が設定しますが、おひねりは 100 円～ 99,999 円までと幅広いです。有料オプションとおひねりにおいても、出品者・購入者双方に手数料が発生します。

【報酬額の算出方法】

例）

・販売総額 100,000 円の場合：

100,000 円（販売金額）－ 100,000 円（販売金額）× 20%

（手数料率）× 10%（消費税率）=98,000 円

ココナラの売上金は、銀行振込みかポイント交換のどちらかで受け取ることが可能です。ポイントに交換する場合は、1円＝1ポイントでココナラ内の支払いに使用が可能になります。

売上が反映されてから 120 日以内に振込申請を行います。振込みのタイミングは、以下の 2 通りあります。

- **振込申請を 1 ～ 15 日の 23:59 までに行った場合：当月の 20 日中**
- **振込申請を 16 日～月末 23:59 までに行った場合：翌月の 5 日中**

※ポイント申請期限までに振込申請がない場合、自動的に登録の銀行口座に振り込まれる

※振込手数料は、3,000 円未満の場合は 160 円が差し引かれる。3,000 円以上の場合は無料

〈メリット〉

集客に成功すれば依頼がくるので、案件に困ることはありません。ココナラのシステムは、「売れている出品者ほど検索の上位に上がってくる」のが基本。商品やサービスが売れれば売れるほどユーザーの目に留まり、売れやすくなるという仕組みです。この仕組みにうまく乗っかることができれば、どんどん売れていくでしょう。

〈デメリット〉

他のクラウドソーシングと同様に、単価がどうしても安い

という点がデメリットです。また、類似の商品やサービスが大量に出品されているので、自分が埋もれやすいのもデメリット。その場合、値引き以外に積極的な営業手段はありません。

〈ポイント〉

❶ 価格を段階的に引き上げる

ココナラを見ていると、「先着○名限定価格」「今月限定価格」と謳(うた)ったサービスが多いことに気づくと思います。

ココナラ出品者の中でも駆け出しという人は、最初は最低価格ラインに値引きして出品し、まず実績をつくります。販売実績が積み上がってきた段階で、だんだんと値上げをしていく人が多いです。

クライアントを掴むという意味でも、また販売実績を積んでココナラの検索の上位に乗せるという意味でも、この作戦は有効です。自分の中で「10件分はこの価格、その次の20件分はこの価格」と決めて、戦略的に販売していくことをおすすめします。

ただしココナラも、プラットフォームに依存しているという点では他のクラウドソーシングと同じです。実績を積んだら卒業するようにしましょう。

自分で自分を売り込む！「メール営業」

メール営業とは、お店や会社のWebサイトにある「問い合わせフォーム」や「問い合わせメール」宛てに、自分を営業する文章を送ることです。お店や会社はGoogle検索で調べます。とても地道な営業方法に思えるかもしれませんが、意外と受注につながるので甘く見てはいけません。
営業先を選ぶときのポイントは次の3つです。

① ターゲットをしっかりと絞る

闇雲に送ってしまうと、レスポンスがない場合が多いです。そのため、自分がどのようなターゲットに営業をしていきたいのかという理由づけも重要になります。

② 地方のお店や会社を選ぶ

東京・大阪・名古屋など都会のお店や会社に営業をかけるフリーランスが多いのですが、大都市でビジネスをしている人はWebに強い人が知り合いにいる場合が多いです。
対して地方はそうした知り合いが少なく、経営者も「ちょっと話でも聞いてみようかな」と思ってくれる人が多いのを実感しています。例えば、「今月は鹿児島を開拓しよう」と決めて、「鹿児島県　カフェ」「鹿児島県　美容室」など、検索してみてください。

③ 大企業は避ける

業種にもよりますが、一般的に、大企業は取引先に個人のフリーランスを選ばないことが多いです。そのため、中小企業やベンチャー企業、個人経営の企業など、小さい規模の会社を選んで営業を行うようにします。単価としても、小規模の会社のほうがフリーランスに向いています。

参考までに、私が普段メール営業の際に使用している文章のひな形を紹介します。

〈営業メールのひな形〉

＝＝＝＝＝＝＝＝＝＝＝＝＝

件名：SNS 集客による売上向上のご提案（氏名）

初めまして。

個人事業主として、現在、総フォロワー数 17,000 名、月間 300 万インプレッションを超える SNS アカウントを運用し、企業様の SNS 運用のサポートもしております、〇〇と申します。

貴社の SNS 集客のサポートをし、売上向上をぜひお手伝いさせていただければと思いご連絡差し上げた次第でございます。

現代社会において、SNS 領域の情報を取り入れておくことは貴社にとっても損ではないはずです。

新年度でもありますので、情報収集をし、来年の戦略をご検討していただけますと幸いです。

下記、ご確認のほどよろしくお願いいたします。

■ご提案内容

『Instagram3 カ月間のお試し運用・コンサル』

【業務内容】

①市場調査

②ペルソナ設計

③コンセプト設計（4P ／ 3C 分析）

④出口設計

⑤数値目標設計

⑥投稿添削（ストーリー＆投稿）
⑦週次MTGの実施（2週間に1回）
⑧実績報告
⑨PDCAサイクルのサポート

■メリット

・フォロワー17,000人を超えるアカウントのデータ管理、コンサルティングとその他アカウント運用実績があるので、集客から売上まで貢献することができます。

・大流行中のTikTokの運用も可能なので、爆発的に認知を広げることが可能です。

・既存のクライアントさまのアカウント運用をしており、競合のリサーチ及び人気のある投稿をリサーチし、データに基づいた運用が可能です。

・人間味を発信していくことにより、顧客のリピートにつなげることも可能です。

■価格

一律6カ月からの契約として○○円（税抜き）

なお、ご予算はお打ち合わせ時にお伝えいただければと思います。

■経歴

私は、営業・マーケティング・EC事業にこれまで携わってきました。

主な経歴としては、ベンチャー企業で〔EC事業責任者〕を経験。大学時代に勤めていた会社で〔営業成績西日本1位］を獲得。WEB制作フリーランスとしてチームを持ち、よりクライアントさまのお役に立ちたいと思い、SNSコンサルティング及び運用を始めました。

■実績

・7カ月で、SNS総フォロワー17,000人以上。月間300万インプレッション以上を獲得しています

・LINEリストは、広告費無料、期間3週間で、1,300名超え。3カ月で利益100万円以上超えです。広告費をかけず、SNSのみで3週間で1,300以上のリストを獲得しています

・1カ月で、収益は7桁以上

・Youtube動画を2本のみ出して、10,000再生回数以上出すことができています

・TikTok、instagram、X（旧Twitter）、Youtube、すべてのSNSの運用経験があります

上記内容をご確認いただき興味をお持ちいただけましたら、ぜひ一度お打ち合わせのお時間をいただけますと幸いです。

クライアントさまのお役に立ち、想像の上をいく、そんなお仕事が貴社とできればと存じております。

ご検討のほど、何卒よろしくお願い申し上げます。

◆--◆

（氏名）

【個人事業主】SNS集客事業/Web制作事業

【電話番号】
【メールアドレス】
◆------------------------------------◆

＝＝＝＝＝＝＝＝＝＝＝＝＝

この営業方法は、メールだけでなくInstagramなどのDMでも行います。Instagram上で「このアカウントはもっと効果的に運用したら伸びそうだな」と、ターゲットになりそうなお店や会社を検索し、積極的にDMを送ってみてください。

なお、電話営業が苦にならない人は電話が有効です。ただし、接客などに忙しいお店や会社に電話して用件を聞いてもらい、アポイントを取るのは難易度が高いです。メールのほうがずっと簡単で楽なので、「ゆるフリーランス」を目指す方には、メール営業をおすすめしています。

〈メリット〉

短時間で数十件と送信できるのでとても効率的です。また、自分が「この値段で自分の仕事を買ってほしい」という値段を設定できるのもいい点です。プラットフォームを利用しているわけではないので、高い手数料も取られません。

〈デメリット〉

お店や会社には毎日多くの営業メールが届きます。まったく開封されることなくゴミ箱行きということも多いでしょう。返信が全然こない日も続くかもしれません。件名など、少しでもメールが見られるような工夫が必要になります。

〈ポイント〉

返信がくるようにするコツが2つあります。

❶ 実績を伝える

実績は必ず伝えましょう。駆け出しの人でも、短期間の伸び率を取り出すなどすれば見せ方を工夫できます。また別の仕事であっても、実績やそこから学んだことを入れれば、説得力を持たせられるでしょう。フォロワー数に関しても、「500フォロワーだから大したことない」と思い込まないでください。SNSでフォロワーを500人獲得することの難しさや、500人いるだけでどれほど事業の売上に直結してくるのかなどを伝えましょう。

❷ 相手に合わせて文章をアレンジする

ひな形を紹介しましたが、慣れてきたら、相手に合わせて文章をアレンジしてみてください。テンプレートの文章に加えて、「貴社のHPを拝見いたしました。主力商品のハチミツを販売していくためにも、集客ができたほうがコストも抑えられるかと存じます。もしよろしければ、詳しいご提案をさせていただけないでしょうか」という一言を添えれば、"自分"に送ってきたものなんだと思うため、メールを読んでもらいやすいはずです。

メール営業に関しては、最低でも**1日10件は送る**ようにしてください。私が独立した当初は、1日50件ほどは送っていました。

ヒット率に関してはフリーランスによってまちまちで、また時期によってもばらつきがあります。私の場合は、しっかりターゲットを絞り、内容のある提案をしていた時期、10件に1件は返信がありました。そのまま成約までつながっていたので、かなりヒット率は高いと言えるでしょう。

SNSはもう一人の営業マン

X（旧Twitter）、InstagramなどのSNSにおいて自分のアカウントを運用し、伸ばしていくことは、自分の分身とも言える営業マンを雇うようなものです。

Web制作を行っていたときのことです。なぜか私指名で仕事の依頼がたくさんきていたので「どうして依頼がくるのか？」を分析したところ、X（旧Twitter）のアカウントを見られていたのが理由でした。

X（旧Twitter）では、「仕事が楽しいです」「仕事は、こういう姿勢で行っています」「お客さまには、こういう点で満足いただけるように気をつけています」という仕事の価値観や、仕事に対する前向きな姿勢をつぶやいていたので、それが評価されたのでしょう。

SNS運用においては、前述したように「自分は何をしている人か」という基本的なプロフィールを、見た人がすぐわかるように書いておくことが重要です。発信内容に関しても、仕事に対する前向きな内容を書くようにしましょう。実績もあればもちろん盛り込みますが、やはり発信内容のほうが問われます。

反対に、顧客のエピソードを勝手に書いたり、悪口をつぶやいたりするのはもちろんNGです。悪印象につながり逆効果なので気をつけてください。

また、アカウントの広告宣伝を行う必要もありません。デザインや内容のライティングをしっかり工夫すれば、フォロワー数は伸びるものです。

紹介案件を倍にする「独自の紹介システム」

紹介案件がフリーランスにとってもいかに有利かという話は、再三してきましたが、紹介案件をぐんと増やす仕組みがあります。それが、独自の**謝礼金システム**です。

クライアントなどに、知り合いの方を自分に紹介してもらえるようにお願いするもの。成約につながった場合、報酬の一部を紹介してくれた人に支払うという仕組みです。私の場合は、営業を外注したときの手数料を10%としていたので、同じ10%を謝礼金にしていました。

紹介システムの仕組み

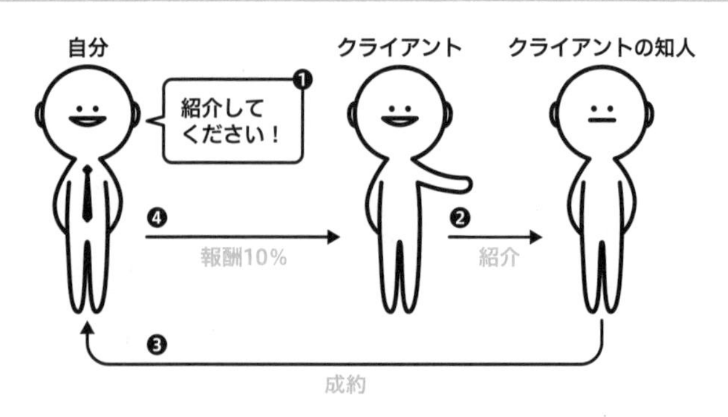

〈メリット〉

基本的には単に声をかけるだけなので、圧倒的に労力を節約できます。また、成約して得た報酬の一部を支払うので、金銭的なリスクが少ないというのもいいです。

〈デメリット〉

こちらが紹介を頼み込むだけでは、本当に相手がアクションを起こしてくれるかどうかわかりません。「紹介？　いいよ、探してみるね」と言ったきり、何の反応も返ってこないというケースは頻繁にあります。紹介システムだけに頼るのはリスクがあるので、他の営業方法と並行して行ってください。

この営業方法の注意点としては、自分が提供する商品やサービスの価値がしっかりしていないとトラブルにつながるということです。自分のビジネスに何らかの欠陥があり、クレームが発生してしまった場合、紹介してくれた人にも紹介された人にも迷惑がかかるうえ、人間関係のトラブルが起きてしまいます。こうなってしまうと、もう自分では手に負えない事態に陥るので、くれぐれも注意するようにしてください。

CHAPTER

05

今が狙い目！ショート動画とSNS運用代行ノウハウ

売り手市場で右肩上がり！

SNS運用代行はなぜすごいのか？

本書を通して私は、Webのフリーランスの中でも「SNS運用代行おすすめ！」とお伝えしてきました。

そこでCHAPTER5では、私が行っているSNS運用代行とショート動画のノウハウを中心に紹介します。

ビジネスをやっている人にとって、SNSは旨味だらけ！

2010年頃からSNSが盛んですが、お店やビジネスを展開している人にとってSNSがいかにすごいのか、改めて説明します。

①広告費の削減につながる

せっかくHPを作っても、広告費をかけないと検索結果の上位に上がらないので、集客ができません。そこでSEO対策に予算を捻出するのですが、いったん費用をかけるとどんどんコストが膨らむばかりで、削減ができません。この点が、企業にとっては悩みどころなのです。

また、「HOT PEPPER Gourmet」や「HOT PEPPER Beauty」などは掲載料が非常に高いうえに、プラットフォームに依存しがちになってしまいます。美容室や飲食店にとっては安くないコストです。

一方でSNSは、広告費はまったくと言っていいほどかかりません。いいコンテンツを投稿すればきちんとアカウントが伸びますし、やり方によってはターゲットにまっすぐ届いて効果的に集客できます。広告手段をSNSに乗り換えた場合の広告費削減効果は、100万円単位と言っていいでしょう。

②リピーター向上効果もある

X（旧Twitter）、Instagram、TikTokなどすべて共通ですが、フィードやストーリーに投稿するだけで「そういえばこの店、行ったことあったな」「そういえばここで商品買ったことあったな。よかったな」と顧客に思ってもらえます。これは「ザイオンス効果（単純接触効果）」と言って、人は何度も接しているものに好感を持つという、有名な現象の一つです。それほど難しいテクニックは必要なく、X（旧Twitter）でつぶやくだけ、Instagramで写真を投稿するだけです。これは、お店にとって利用しない手はありません。

③自動集客が可能

SNSの特徴は、なんといってもその拡散力です。チラシや看板、あるいは雑誌などでは特定のエリアの消費者にしか届きませんが、SNSでは宣伝できる範囲に限りがなく、幅広い消費者に対してお店や商品のアピールをすることができます。

ふとしたツイートが拡散して商品が爆発的に売れるという現象を、一度は目にしたことがあるでしょう。そこまでのヒットではなくとも、コツコツとした発信が支持されて、たくさんフォロワーがいる企業アカウントは多いもの。

顧客や潜在顧客にいったんフォローしてもらえれば、すでに状況は有利です。自分たちの商品のよさや効果をうまくアピールできると、自動的に購入してもらえます。お店の世界観や価値観を伝えれば、単なる顧客ではなくファンになってくれるでしょう。ファンになった顧客はどんどんリピートし、新しい顧客も紹介してくれる、優良顧客へと成長していきます。

④コツを掴めば、再現性高く伸ばせる

SNSを運用するポイントというのは、基本的には一緒です。そのためコツを覚えてしまえば、いくらでも自分の他のビジネスに転用できます。

例えば新規ビジネスを展開したい人で、既存のAというビジネスでSNS運用がうまくいっているから、新たに立ち上げるBというビジネスでもSNSを運用したいという場合、スムーズにアカウントを伸ばすことができます。もちろん、多店舗展開を目指す人も同じです。これほど再現性が高く、またコストのかからない集客ツールは他にないです。

フリーランスにSNS運用代行が最強におすすめな理由

それでは、SNS運用代行がなぜフリーランスや副業におすすめなのかという理由をお話します。

それは第一に、フリーランスとして身につけておきたいスキルや思考力が、SNS運用を通して身につくからです。

例えば、

- **消費者ニーズを明らかにし、適切な商品開発、価格の決定、流通、効果的なプロモーションなどを行う「マーケティング能力」**
- **ユーザーの心に届くタイトル、キャッチコピーなどを考える「ライティング能力」**
- **情報をわかりやすく、より効果的に、魅力的に伝える「デザイン能力」**

などです。

これらが身につくので、フリーランスのWebマーケターやWebライター、Webデザイナーへの転身も視野に入るでしょう。

もちろん職業にしなくても、マーケティングの思考能力やデザインを考える能力が身につくので、どの業界で仕事をするにしても役に立つはずです。

このように、SNSはエンターテインメントだけでなく、ビジネスの点から見てもたくさん旨味があります。自分でビジネスをしている人にとってもフリーランス志望の人にとっても、SNS 運用代行を行わない理由はありません。
その他にもおすすめな理由がたくさんあるので、詳しく見ていきましょう。

①コストがかからない

ビジネスにはお金がかかります。特に、お店を立ち上げたり商品販売を始めたりするような商売は、コストやリスクがつきものです。
ところが、SNS 運用代行はスマートフォン１台あればできるビジネス。PC すらいりません。何かに投資をする必要もなく、在庫を抱えるリスクもありません。これほど始めやすい仕事は、他にあまりないでしょう。

②ブルー・オーシャンである

ブルー・オーシャンとは、未開拓で競争相手のいない市場のことです。SNS は圧倒的多数のユーザーが使用しており、マーケットも拡大中。多くの企業がSNS マーケティングの重要性を感じています。
一方で、SNS マーケティングを専門としている企業はそれほど多くなく、SNS 専門のマーケターも少ないのが現状です。つまり、需給バランスが取れておらず、**圧倒的に売り手市場**なのです。つまり、きちんと仕事をすれば必ず企業から「うちでも仕事をしてほしい」と声がかかります。

SNS の勢いは、今やテレビを追い越すほど。その勢いはしばらく止まらないでしょう。SNS 運用代行への需要も、どんどん高まっていくに違いありません。

ちなみに、SNS運用代行を企業として請け負っている会社はいくつかあります。ただこうした企業は、運用代行を個人に依頼した場合の10倍程度の費用がかかるため、個人店や小規模事業オーナーには高すぎて支払えないのです。

私たちフリーランスなどとはターゲットが異なるので、基本的にはあまり気にしなくてもよいでしょう。

③空き時間でできる

自分のライフスタイルに合わせて、空き時間でサクッと仕事ができるのもいいところです。電車に乗っているとき、列に並んでいるとき、昼休みなど、パッとスマホを取り出して仕事ができます。

会社勤めの方は、会社の仕事を優先しながら副収入を増やせるでしょうし、子育て中の方は、パートに行くよりも子どもとの時間を確保できるはずです。自分の理想とするライフスタイルを犠牲にしなくてもいいのが魅力です。

④収入を安定的に得られる

SNS運用代行というのは、すぐに結果が出るものではありません。1カ月で1万フォロワーというのは、奇跡が起きない限り難しいです。SNS運用代行の業界では、長期的に契約を結び、伸び率を評価してもらうのが一般的。「毎日運用する」という継続的な仕事があるので、長期契約が発生するのです。

基本的には**1契約につき6カ月**。「少し長くこの人の仕事ぶりを見てみたい」という場合は、1年契約をしてもらえることもあります。

フリーランスにとって、報酬が6カ月間も確定していることほどありがたいことはないでしょう。副業をしている人にとっても、自分の収入が半年間も安定的に入ってくるのはありがたいはずです。

半年間仕事をして満足してもらえた場合、継続案件としてまた契約が続きます。しかも、仕事が増えていくにつれて自分のスキルも上がっていった場合、報酬を引き上げることも可能です。

月収100万円は決して夢ではない世界なのです。

⑤営業は必要最低限で済む

半年契約ということは、一つの契約をもらったら半年は仕事が安定的にあるということ。営業をたくさんする必要がなくなるので、苦労しなくてもいいというのもメリットです。

これがWeb制作であれば、より単発の仕事が多くなります。例えばHPは、新規事業を展開するときにまとまった量をつくりますが、作ったらそれで終わりです。そのため、常に営業をしなければならず、収入も安定的ではありません。

⑥人間関係の悩みが少ない

仕事のやり方次第ではありますが、私の場合、クライアントとの打ち合わせや営業はオンラインで行っています。オフラインでもいいですが、オンラインでもまったく問題ありません。

直接誰かと仕事をしたり、上司や部下と関わったりするわけではないので、人間関係に悩まされることはほとんどないのです。

仕事の悩みの8割は人間関係といわれています。その悩みの種から解放されて、仕事の楽しさだけを味わえるなんて、素晴らしいと思いませんか？

⑦他のスキルとかけ合わせができる

SNS運用の目的は【集客】です。X（旧Twitter）、Instagram、TikTokなどすべてにおいて、ゴールはフォロワーを集め、見てもらうこと。

この目的のためには、さまざまな手段が必要になります。そこに、あなたが持っているスキルがとても役立つのです。

例えば、

- **HPなど見られるものを作れるWeb制作やプログラミングスキル**
- **効果的なデザインを考えられるデザインスキル**
- **キャッチーな文章を生み出せるライティングスキル**
- **美しい写真や動画を撮影するシューティングスキル**
- **効果的な戦略を立てるマーケティング能力**

などがあります。

これらをかけ合わせて、自分の価値をしっかりアピールできるでしょう。SEO対策も一見すると結びつかないように思いますが、経営者の中ではSNS運用代行と一緒にSEO対策も依頼したいという人もいるはず。やり方によってはかけ合わせで提案できます。

このように、SNS運用代行のメリットはたくさんあります。

ただ私自身の考えとして、くだらない人間関係に悩まず、大切な人たちだけと一緒にいられる。自分らしく楽しく働ける。
この二つが最もいい点だと思っています。

SNS 運用代行っていくら稼げるの？

ここでは、SNS 運用代行の相場と注意点をお伝えします。

報酬の相場

- **投稿代行のみ：2,000 円以上**
- **ショート動画の作成のみ：2,000 円**
- **ショート動画の作成（シナリオ作成含む）：3,500 円**
- **運用代行（コンセプト設計などすべて含む）：15 ～ 20 万円／月**

「SNS 運用代行　価格」で検索するともっと安い価格が出てくるかと思いますが、相場をきちんと知り、安すぎる案件は引き受けないようにしてください。

契約の期間

6 カ月が基本です。クライアントによっては 1 年の場合もあります。

注意するポイント

- **自分の成長につながらない仕事はしない**

SNS 運用代行であれば、「いいね回り（自分の投稿やアカウントを見にきてもらえるように、他のユーザーに「いいね！」をしてアプローチする手法）」と DM への返信は自分のためにならないので、やめたほうがよいでしょう。誰でもできる作業なので、自分の勉強にはなりません。

・薬機法など専門知識が必要な事項は、クライアントに確認する

SNS運用代行に専門知識は必要ありません。ただし、化粧品やサプリメントなどを扱う場合は、薬機法（旧・薬事法）の関係で、使える文言が限られるということを覚えておきましょう。

NG例

「このサプリメントは糖尿病に効きます」
「疲れない体質に変わりました」
「この美容液でマイナス5歳肌になります」
「飲むだけで痩せる！」
「シミが消えるホワイトニング美容液」
「アンチエイジングができます」

こうしたキャッチコピーは誇大広告にあたり、景品表示法と薬機法、健康増進法に違反します。薬機法に違反すると、2年以下の懲役、200万円以下の罰金もしくはこの両方が課せられます。令和3年からはさらに、売上に対する4.5%の課徴金も課されるようになりました。

こうした事態を避けるためには、基本的にはクライアントに投稿内容をチェックしてもらい、すべての責任を負ってもらうしかありません。コンプライアンス意識の低い企業とは、契約を避けるようにしましょう。

この業界が狙い目！

狙い目の業界としては、

- 人材業界
- 不動産業界
- 塾業界
- スクール業
- 通販事業
- 保険業

などが挙げられます。客単価が高い業種だというのがその理由です。クライアントにとっては、一人か二人のお客さまを呼び込めればSNS運用代行を依頼した元が取れるので、満足感が高いです。こちらとしても、高単価だからこそ届けられるサービスというのがあり、やりがいもあります。

SNS運用代行で稼ぐための具体的な手順

それでは、SNS運用代行の具体的な流れを紹介します。

SNS運用代行の流れ

①アカウントの立ち上げ

SNSのアカウントを立ち上げ、コンセプト設計を行い、プロフィールを作成します。

②投稿の作成

Instagramであれば、写真の撮影や画像の制作などを行い、フィード投稿やショート動画のリールを作成します。

③写真や動画などの投稿

②で作成した内容を投稿します。

④コメントのチェックと返信

返信の代行作業です。コメントをもらったら返信を行います。

⑤レポーティング

代行者としてどういう働きをしたのか、どういう結果が出たのか。なぜそういう結果が出たのか。課題は何でどうしたら改善できるのか……といったことをクライアントに報告します。

頻度は人によりますが、私は月に1回にしています。Googleスライドで5〜6枚ぐらいのレポーティングを用意し、それを基にミーティングで報告します。

⑥ミーティング

レポーティングとは別に、報連相やクライアントからの相談など、ミーティングは常に行います。

⑦広告の出稿・運用

Instagramの最低出稿金額は100円です。低予算でアクティブユーザー3,300万人に広告を届けることができる、他に類を見ない媒体です。クライアントが広告を希望する場合、アカウントを作成→投稿→投稿に広告をかけて集客を行います。

自分がインフルエンサーとしてアカウントを運用するのと、SNS運用代行として運用をするのと、手順などに大した違いはありません。そして前述したように、SNS運用代行は月収100万円が夢ではない仕事です。そのために、次のことに気をつけてください。

・クライアントにヒアリングをする

「どういう世界観を表したいのか」「何を伝えたいのか」など、クライアントに対してきちんとヒアリングを行いましょう。代行者の思い込みで、勝手にアカウントを運用してはいけません。

・投稿の確認をしてもらう

こちらは専門的な知識や業界の知識がありません。必ずクライアントに投稿の内容を確認してもらうようにします。

・期待値調整をする

クライアントはSNSのことに詳しくないので、運用代行を依頼すると「月に1万人ぐらいはフォロワーが増えるのでは」などと、期待値を高く見積もっています。最初の段階でSNSの現状を話し、「だいたいこのぐらいです」と、現実的な見通しを伝えておきましょう。そうでないと、「なんでフォロワーが全然増えないんだ！」とトラブルになりかねません。

・修正回数を決めておく

「修正は3回までです」「これで最後になります」と伝えておかないと、クライアントにどんどん投稿内容を修正されてしまいます。手間が増え、報酬に対する作業時間が長くなりすぎた、ということになりかねません。修正回数は必ず「○回まで」と決めておきましょう。

・SNSの闇に惑わされない

SNSは匿名でできるので、嘘を書こうと思えばいくらでも書ける世界です。だからこそ、自分からはその闇に関わらないでください。それだけでなく、嘘を見抜くためのリテラシーを身につける必要があります。

・先行者利益を見つける

需要があるのに供給が少ない業界、ライバルが少ない世界で先に成功した者が勝ち、というポイントを見つけましょう。

SNS 運用において大事な６つの数字

SNS 運用代行を行うときには、指標にするべき次の数値があります。ぜひ参考にしてください。

SNS 運用代行の指標

①売上とフォロワー数

SNS のフォロワー数がどのぐらい増え、クライアントのビジネスにどれだけの売上がプラスされたかという目標です。

②保存率

投稿が保存されたパーセンテージです。このアカウントはどのぐらい役に立ったのかという目安になります。保存率はとても大切で、保存してもらわないと、そもそもインプレッション数が増えたり、フォロワー数も伸びたりしません。企業側もとても重視しています。

③インプレッション数

Instagram のインプレッション数とは、投稿が表示された回数のことを指します（よく似た指標で「リーチ数」がありますが、これは投稿に訪れた人の数のことです）。X（旧 Twitter）のインプレッションとは、ポスト（ツイート）がユーザーのタイムラインに表示された回数のことを指します。投稿がどのぐらい認知されたかを示す数値なので、自分がブランディングをしていきたい場合、お客さまが求めているものを提供できているかをインプレッション数で測ることができます。

④フォロワー転換率

投稿を見たユーザーが新たにフォローした割合を示す指標です。フォロワー転換率が高いほど、投稿がユーザーに届き、これからもコンテンツを見たいと思わせるのに成功していることを意味します。

⑤リンククリック数

Instagramであればプロフィールの URL リンク、ストーリーズで設定したURL リンクのタップ数です。X(旧Twitter)であれば、ツイートに記載したリンクがクリックされた回数を指します。

⑥コンバージョン率

リンククリック数が売上にどのぐらい貢献したかを示す数値です。アカウントがどれほど成約につながる力があるかを見ます。

ただしクライアントは、フォロワー転換率、リンククリック数、コンバージョン率に関しては、それほど求めていないことが多いです。やはり①の「売上とフォロワー数」が最重要視されます。

SNS運用代行をするときのアカウント設計ポイント

SNS運用代行にはもちろん、まずクライアント企業のアカウントを立ち上げる必要があります。ここでは、SNS運用代行におけるアカウント設計について解説します。なお、CHAPTER2と重複する部分は割愛していますので、前述箇所も併せて改めて確認してみてください。

アカウント設計は1カ月かかるほど重要なステップ

アカウント設計のステップを詳しくお話します。ここでは、Instagramを例に挙げますが、X（旧Twitter）など他のSNSも基本的には同じです。

①クライアントの商品の提供価値は何かを明確化する

クライアントの商品がどんな価値を提供できるのかを明確にします。クライアントの商品で言うと、「SNS運用代行を学び、フリーランスになるノウハウを提供する」というのが提供価値です。

②ターゲット、ペルソナを選定する

アカウントがターゲットとする人を選び出します。私のアカウントは、「主に20歳代の女性で、自由な働き方をしたい、会社を辞めたいと思っていたり、副業をしたいと考えていたりする人」がターゲットです。

③アカウントの提供価値は何か、明確化する

アカウントを見た人に、どんな価値を提供できるかを考えます。「フリーランスになれる術を具体的に知ることができる」「SNS運用代行のノウハウがわかる」「副業としてNGな仕事を知ることができる」などが提供価値になります。

④カスタマージャーニーマップの作成

カスタマージャーニーマップとは、顧客の日常生活から、購入を検討する段階、実際に購買・利用する段階までに接触し得るさまざまなタッチポイントについて、包括的に捉えるものです。それらを可視化するために図にしたものをカスタマージャーニーマップと呼びます。

カスタマージャーニーマップのイメージ

	1. 初期接点	2. 事前の情報収集・購入検討		3. 購入(利用)		4. 購入(利用)後
・時間軸	ニーズ認識	商品認知	比較検討	購入	利用	継続・再購入
・行動						
・タッチポイント						
・意識、感情						
・理想の体験						

アカウントを見つけることを例に挙げると、「発見欄で見つける→投稿に飛ぶ→プロフィールに飛ぶ」という流れがあっ

たとして、「なぜプロフィールを見てこのアカウントをフォローしようと思ったのか」という、それぞれの流れを詳しく分析するのが、カスタマージャーニーマップの作成に当たります。

⑤プロフィール、アイコンの選定

④で出した分析結果を基に、「どんなアカウントならばフォローしてもらえるか」を考えて、プロフィールとアイコンの選定を行います。

⑥ハイライト、ストーリーを決める

ブランディングに基づき、ハイライトやストーリーでどのようなことを発信するかを決めます。

⑦トンマナ、デザイン作成

トーン&マナーに一貫性を持たせながら、デザインを作成していきます。プロフィール写真・アイコンなどと同様の作業になります。

⑧コンバージョン導線を決める

LINE友だち追加やブログにつなげるなど、最終的にどこに落とし込むかを決めます。

余談ですが、皆さんがネイルや美容院に行ったとき、「うちのお店のLINEに登録しませんか？」と言われることがあるでしょう。

実は、ビジネスにおいてLINEの登録者数というのは、Instagramのフォロワー数よりも大事と言われています。特

に美容院やスクール業界では、直接連絡できるLINEの窓口があったほうが、来店してもらいやすかったり、入学を検討してもらいやすかったりします。見込み客にLINEに登録させるというのは非常に重要なのです。

LINEの登録者数は、**1人につき1万円の価値がある**と言われています。つまり、100人に登録してもらったら100万円の価値があるわけです。

もし皆さんが、LINEの登録者数を第三者にアピールしたい場合、単純に「LINEの登録者は○人です」と言ってもよいですが、「LINEに流入したパーセンテージはこのぐらいです」「LINE登録者数は、○カ月間で○人集めました」という表現をするのも効果的です。

アカウント設計に関しては、企業の運用に入るときには1カ月以上かかる場合もあるほど重要です。絶対に疎かにしないようにしてください。

アカウント設計では、ブランディングに気をつける

新しいアカウントを設計するときの注意点がいくつかあるので、Instagramのアカウントを例に説明します。

タップしたくなるプロフィール写真

写真を撮影する際もできるだけトーンを合わせ、難しければ後で加工します。

色に気をつけるだけでも、タップしたくなる写真になるはずです。

「この人と言えば」の特徴を意識する

絵文字も統一するとアカウントの効果が上がります。ハートマークは必ず白にするなど、「この人と言えばこの絵文字」と思ってもらえるようにするのがベストです。クールで真面目な人が情熱系の絵文字を使うのはイメージが違いますし、かわいい系の人が怖い絵文字を使うのもまた違います。

ブランディングにも関わってくるので、絵や色がもたらす効果というのは、とても大事です。

アカウントのコンセプトと投稿内容にブレがない

フリーランスで仕事について書くというコンセプトなのに、ご飯の投稿をしている人はとても多いです。仕事のアカウントならば仕事のことだけを投稿するように気をつけましょう。

ブランディングできるストーリーとハイライト

「自分らしく働く」というブランディングならば、無理せず、ゆるく楽しく働く姿を投稿しなければなりません。「旅するフリーランス」ならば旅先の写真を投稿すべきで、日常のどうでもいいことをストーリーやハイライトに上げると、ブランディングがズレてしまいます。

特に前述した④と⑤は、意識しないうちにミスをしている人が多いように見受けられます。ブランディングを徹底する意識を持ち、コンセプトと投稿内容が一貫したアカウントをつくり上げるようにしましょう。これらは、X（旧 Twitter）など他の SNS にも共通して言えることです。

以上の点を踏まえて、参考になるデザインを実際に見てみましょう。

Instagramの参考デザイン

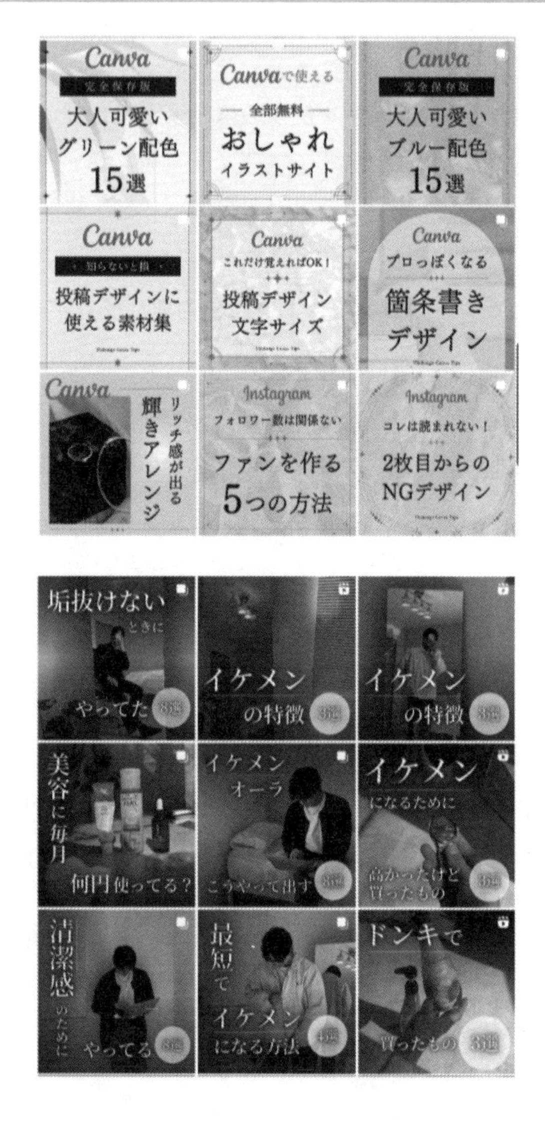

プロフィールが適切かどうかというのは、常にチェックするようにしましょう。投稿がバズってもプロフィールが魅力的でなければ、ユーザーはフォローしてくれません。

最後に着地してほしいところにユーザーを誘導するよう、導線をつくります。私の場合は「フリーランス講座をプレゼント中」にタップさせるというのが導線です。

アカウントを新しく設計する際には、自分に向き合わなければなりません。すると、以下のような項目を明確化する必要が出てきます。

・自分が好きなことはなんだろう？
・理想とする「ありたい自分」とは何か？
・どういうポジショニングを目指すのか？
・理想の働き方は何なのか？
・今後目指すライフスタイルは？
・趣味でもやりたいことは何か？
・ライバルはどのぐらいフォロワーがいて、どの程度の売上があるのか。そこから予想できる、自分の売上や市場規模はどのぐらいか？

自己分析の一つになるので、自分なりに答えを出しておきましょう。

顧客満足度に差がつく！

SNS運用代行で気をつけたいポイント

あるある事例！SNSで8割の人がやっているNG行為

SNS運用代行において8割の人がやってしまっているNG行動とは何でしょうか？

NG① 投稿しまくれば伸びると思っている

投稿さえすればアカウントが伸びるはずと信じて投稿しているのに、まったく結果が出ていないという人は多いです。行動だけして反省や改善をしなければ、結果が出ないのは当然です。デザインがよくない、ライティングがよくない、コンセプトがなっていない、そもそも需要がない市場を選んでいるなど、結果が出ないのには理由があります。しっかり分析と改善をしていきましょう。

NG② 分析が感覚的で、数値を見ていない

「どういう発信がフォロワーに届いたのか？」「どういうアカウントが支持されているのか？」など、修正と改善を行うには数値を見る必要があります。これを見ずに、「この投稿はよさそうだった」「あのアカウントはあまりよくないだろう」など、感覚的に分析するのは失敗の元です。

NG③　ユーザーとコミュニケーションが取れていない

SNSは人と人がつながるプラットフォームです。フィード投稿だけでなく、Instagramのストーリーで、

- **絵文字スライダー／絵文字スタンプで反応する**
- **アンケートや質問、クイズ機能でユーザーの声を拾う**
- **カウントダウンでインスタライブやイベントの告知をする**
- **DMを送ってもらえる導線をつくる**

質問

アンケート

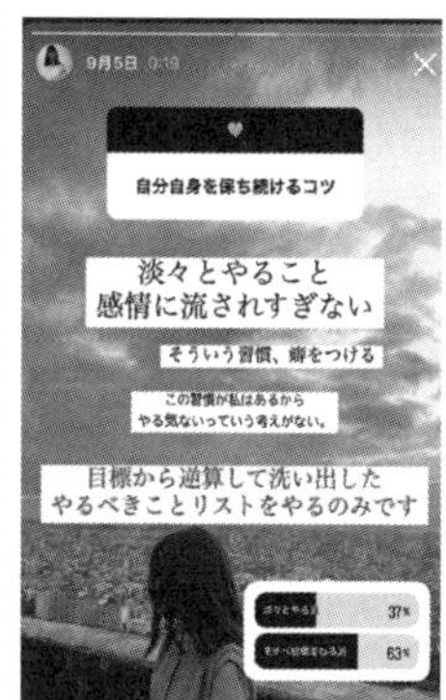

カウントダウン

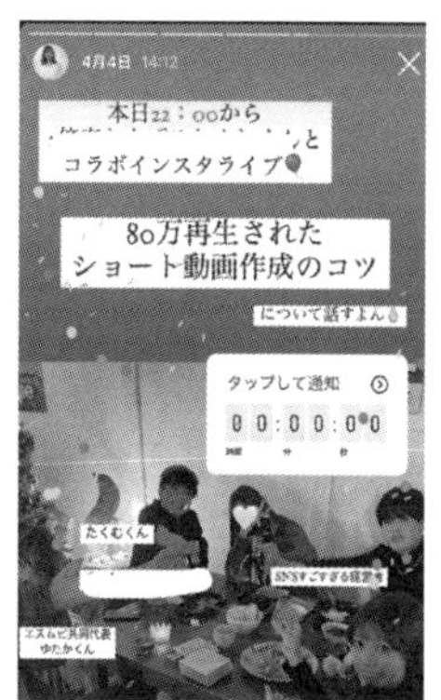

などの機能を使い、フォロワーとコミュニケーションを取ることが求められます。現在のInstagramのアルゴリズムは、フォロワー数やリーチ数だけではなく投稿に対するユーザーの反応や、アカウントとの関係性を重要な指数としています。フォロワーとの親密度が高いほど、質の高い投稿とみなされる傾向にあります。

また、ユーザーが投稿に対して行うアクションのことを「エンゲージメント」と言い、いいねや保存数、コメント、シェアがアクションとして見なされます。エンゲージメント率がいいと、

- **フィード投稿で表示されやすくなる**
- **フォロワー外への露出を期待できる**
- **ユーザーニーズを把握する指標となる**
- **アカウントの影響力を測る指標となる**

などのメリットがあります。

フォロワーとコミュニケーションをまめに取り、「私はフォロワーさんと仲がいいんだよ」とSNSのAIに伝える必要があるのです。

NG④　自己満足でしかない投稿とストーリー

SNS運用代行で大事なのは、「自分が好きな内容」を投稿することではなく、「ターゲットに好まれる内容」を投稿することです。それには、「ターゲットはどんなデザインを好むのだろうか？」「ターゲットに見てもらえる内容はどんなものだろうか？」を常に考える必要があります。

NG⑤　そもそもコンセプト設計がされていない

誰に何を届けたいのか、コンセプトの設計がされていないアカウントは非常に多いです。言い換えれば、この部分をしっかりするだけでも周囲と差をつけられます。

NG⑥ プロフィール文が意味不明

プロフィール文が意味不明だと、フォローにつながりません。よくわからない文章としては、

- **端的に書かれていない**
- **内容がよくわからない**
- **コンセプトに従って書かれておらず、ブレている**

などが挙げられます。

NG⑦ デザイン、キャッチコピーやタイトルが微妙

デザインスキルやライティングスキルの不足によるNG例です。さまざまなアカウントを見ることから始めてみてください。

NG⑧ 自分の属性を適当にプロフィールに入れてしまう

自分の属性、例えば「HSP」「ワーママ」「シンママ」といったものをプロフィールに載せる場合、きちんとした意図や戦略のもと行ってください。こうした属性は、似た属性を持つ人が共感して「この人のアカウントを覗いてみようかな」と思うフックになるもの。アカウントを見たときに、その属性に関する発信が何もなかったら、せっかく見にきた人はがっかりしてしまいますよね。

何となく「プロフィールに入れておこうかな」という属性ならば、入れないほうがよいです。プロフィールに属性を書くなら、狙って入れるようにしましょう。

フォロワー数＝売上ではない！　信頼が重要

SNSは、フォロワー数が多ければ多いほど人の目につく機会が多くなり、ビジネスにとって有利というのが定説です。

ですが、私はフォロワー数だけが勝負を左右するとは思いません。なぜなら、フォロワーとは「フォローしてくれているだけの人」であるからです。

こちらとしてはフォロワーに対し、

フォローしている状態→お店までアクセスしてもらう→商品を買ってもらう

という行動を起こしてもらわなければなりません。

たとえフォロワー数が5万人でも、実際に商品を買う人が1,000人しかいないのならば、購買率は低いでしょう。一方でフォロワー数が1万人であっても、商品を買う人が2,000人もいるのであれば、購買率は高まります。フォロワーの数ではなく、お店やサービスのファンになってくれている人がどれだけいるかのほうが、はるかに重要です。

つまり、成約につながる顧客をどれだけ抱えているかが、ビジネスの成功を左右します。

この考え方は、基本的にどのSNSも同じです。ただしYouTubeで収益化したいという場合は、登録者数の人数が問われます。

これは運用代行の私の実績ですが、約7,000フォロワーのときに月商1,000万円を達成したことがありました。

なぜそれだけの売上を立てられたかというと、**ライブとス**

トーリーの差別化が大きかったからです。
例えば、

・商品の素晴らしさを説明し、価値観を共有する
・「商品を購入した後、ストーリーに上げてくださったらうれしいです」と呼びかけ、口コミを拡散してもらう
・インスタライブでは、見ている人の悩みをきちんと聞く。聞いた上で「こういう商品がありますよ」という解決法を提案する

ということを心がけるだけでも、かなり効果はあります。

また、SNSは自動集客が可能といわれますが、それは信頼が培われているアカウントのみに当てはまります。
普段の投稿、ストーリー、インスタライブなどが積み重なり、ブランディングが出来上がると、信頼度が高まります。そうすると、自動的に集客ができるようになるのです。
一方で、フォロワーが多くても売上につながっていないアカウントもたくさんあります。フォロワーだけは増やせるけれど物は売れないというのは、信頼がないのが原因です。普段の投稿はおざなり、ストーリーは上げない、インスタライブもしないのであれば、誰もそのアカウントから物は買わないですよね。

信頼とは、簡単に言うと**「この人（アカウント）がすすめる物なら買います」とフォロワーに思わせる**こと。フォロワー数が多い少ないに関わらず、この信頼関係を作れているアカウントからは、きちんと物が売れていきます。

そのためには、フォロワー数だけを追わないことがポイントなのです。フォロワー数が増えたからといって、売上が上がるわけではありません。**既存のフォロワーを大切にして、買ってもらえるよう信頼をつくり上げることが重要**です。

クライアントは、確かにフォロワー数を気にされる方が多いのですが、私はその度に「100万フォロワーで1,000万円しか売れないアカウントもあれば、たった1万フォロワーで1,000万円も売れるアカウントもあります」と強調しています。どれだけフォロワーに自分たちのファンになってもらって信頼してもらえるかが重要なので、フォロワー数に惑わされないようにしてください。

SNS運用は、「人間の無意識を操る」仕事

SNSというのは、ほとんどの人が何気なく見ています。だからこそ、ほんの少しの差でアカウントの伸びが決まってしまいます。

ある人に、「このアカウント、なんで伸びているかが全然わからないんだよね」と言われたことがあります。私には、そのアカウントを見ていて伸びる理由が手に取るようにわかりました。

なぜなら、「キャッチコピーのこの一文字がよく練られていて読みやすい」「この文字は、この色にしているから読みやすい」「デザインの色使いに独自性がある」など、本当に少しの差なのですが、ちゃんとこだわりが見えたからです。

ほとんどの人が何気なく見ているからこそ、ほんの少しの部分にこだわり、無意識の部分をコントロールしなければな

りません。それがSNSの世界です。それをわかっている人がアカウントを伸ばし、気づけない人はいつまでたっても伸ばせません。

伸びているアカウントをいくつか紹介します。投稿のつくり方が素晴らしいので、ぜひ参考にしてみてください。

参考にしてほしいアカウント

ユタカさん（@ utaka0628）

一緒に会社の共同代表をしている方です。少ない投稿数なのに、フォロワーが多いことに注目してください。ライティングがとても上手で、一つ一つのキャッチコピーに人を惹き

つける力があります。ユタカさんはシナリオ作成も上手です。

あやみるーむさん（@ ayami__room）

あやみるーむさんは透明感のあるグレーや白で色合いが統一されており、この色合いを見ただけで「あ、あやみるーむさんの投稿だな」とわかります。投稿内容もブレがなく、ブランディングがしっかりされているアカウントです。

さらにレベルアップ！

SNS発信で覚えておきたいこと

さらに、SNS発信で覚えておいてほしいことをいくつかお伝えします。これを知ってさらにSNS運用代行のスキルを上げていきましょう！

SNSを発信するには「PREP法」を使おう！

SNSで発信する際に大切なのは、**「PREP法」**（プレップ）を使うことです。PREP法の具体的な使い方を説明します。

PREP法とは、結論→理由→具体例→結論の流れで伝える方法で、主に会議やプレゼン、文章作成、報告などで使われます。

- **P = Point（結論）**
- **R = Reason（理由）**
- **E = Example（事例、具体例）**
- **P = Point（結論を繰り返す）**

この方法を使うと、読み手は一つずつ納得しながら話の流れを理解できます。また、話の最初と最後にそれぞれ結論を伝えるので、言いたいことをより相手に印象づけられる効果があります。

また、短時間で意見を伝えることができるので、SNSに向いているという特徴があります。

例）「SNS 運用代行はフリーランスに適している」という主張の場合

・P ＝結論

「SNS 運用代行はフリーランスに適していると思います」

・R ＝理由

「なぜなら、安定した収入が得られるからです」

・E ＝事例、具体例

「SNS 運用代行は 6 カ月契約、1 年契約など、長期的な契約を結ぶことができます」

・P ＝結論を繰り返す

「フリーランスは不安定と思われがちですが、SNS 運用代行の仕事を選べば決してそうはなりません。そのため、SNS 運用代行はフリーランスに適していると思います」

この順序で流れを構成すると、SNS を見た人に伝わりやすい投稿になります。意識して PREP 法を使うようにしましょう。

集客した人を成約へとつなげる「PASONA の法則」

SNS で集客した人を、クライアントの商品やサービスの購入へとつなげるために積極的に使いたいのが**「PASONA（パソナ）の法則」**です。

日本を代表するマーケターでもある神田昌典氏が 1999 年に提唱したマーケティングの法則で、人の行動を促すため、DM などのセールスレター、ランディングページ（LP）などの Web 広告で多く活用されています。

・P ＝ Problem（問題）

・A = Agitation（扇動）
・S = Solution（解決策）
・N = Narrow down（絞り込み）
・A = Action（行動）

悩み、不安、不平不満を示して問題提起し、「そのままでは大変」と煽ってから悩みに共感する。問題解決策として商品とその機能などを紹介した上で、ターゲットや期間を限定し、行動を促すという流れです。

具体例を挙げて説明しましょう。

例）スポーツジムに入会させたい場合

・P ＝問題を提起する

「最近、運動不足に悩んでいませんか？」
「たるんだお腹が気になりませんか？」
「健康診断の数値、問題ありませんでしたか？」

→消費者が潜在的に困っていること、苦労していること、不便に感じていることを明確に訴えて問題に気づかせます。

・A ＝問題をあぶり出し、煽り立てる

「いつまでも若々しい友人が羨ましいと感じたことはありませんか？」
「お気に入りの服、もう入らないと諦めていませんか？」
「このまま放っておくと、メタボの危険性も出てきます」

→問題に気づかせた後は、問題の深刻さを知ってもらいます。その際、「痛み」を伴う書き方が有効です。

・S ＝解決策の提示と証拠

「〇〇スポーツクラブなら月額8,000円。24時間好きなだけ、マシンを使い放題です」
「アスリートも満足の高品質マシンを揃えています」

→解決策としての商品・サービスを紹介し、売りたいモノが問題解決に役立つことをアピールします。売上などの数値、使った人の感想といった客観的なデータを書くことがポイントです。この段階では成約をせき立てるのではなく、「使ってみたい」「見てみたい」と興味を持ってもらうことが狙いです。

・N＝限定、緊急、絞り込み

「申し込み先着100名様のみ、初月の月会費半額のキャンペーンを行っています」

→効果や信頼性について理解してもらったら、次は対象客や期間を限定し、商品やサービスの限定性・緊急性を演出します。いつでも購入できるものではない限定感をアピールし、「これを逃したら損をするかもしれない」と思わせます。

・A＝行動

「ぜひこの機会に、自分の未来に投資しませんか？」

→最後に、購買行動を呼びかけます。LPなどは末尾にキャッチコピーが置かれることが多いです。

私はLPの作成や、LINEやSNSのアフィリエイトなどを行うときにこのPASONAの法則を利用しています。人の心理に沿ってよく構成されており、誰しも思わず買ってしまいますよね。消費者の心にいかに届く広告をつくるかの基礎になるので、押さえておきましょう。

あなたがフォロワー数を増やせない理由とは？

フォロワー数がすべてではないと前述しましたが、それはある程度のフォロワーができてからの話です。まったく増えないことには、SNS運用代行ビジネスのしようもありませんよね。最低限のフォロワー数は必要だと思います。

SNSのフォロワー数を増やせない人は、次のような特徴があります。

①投稿数が少ない

投稿の数が多ければいいというわけではありませんが、たったの10投稿をしただけで「フォロワーが増えない」と嘆くのは早すぎます。最低でも3カ月は続けましょう。フォロワー数を増やすには、ある程度の投稿の数は必要です。

②コンセプトが差別化されていない

誰かのアカウントを真似して、「これでいけるだろう」と思っている人は伸びません。自分、あるいはその会社の強みを明確にした上で発信するようにしてください。

③投稿に需要がない

人の悩みを解決できるような投稿でないと、フォローされません。自分の投稿が誰かの役に立っているか、もう一度見直しましょう。

④センターピンがズレている

Aというジャンルの投稿が伸びるはずなのにBというジャンルばかりを投稿していたり、投稿数が少ないから伸びていないのに、ストーリーばかりを上げて「なぜ伸びないのだろう」と悩んだり……というのは、センターピンがズレた状態です。

「今、自分には何が足りないのか?　どうしたら改善できるのか?」という分析ができていません。ここから脱するためには、前述した「仮説思考」を徹底的に行うようにします。仮説思考さえきちんとできていれば、自分のアカウントが差別化していないこと、投稿に需要がないことにもすぐに気づくことができます。

フォロワーを増やすために指標となる6つの数値

それでは具体的に、フォロワーを増やすための指標となる、大切な数値についてお伝えします。

ホーム率

自身の投稿がどれだけフォロワーのホーム画面である「フィード」で閲覧されたかを示す割合です。ホーム率がアップすると、フォロワーが「いいね」など何らかの反応をすることで、フォロワー以外のユーザーへと投稿が拡散されやすくなります。

保存率

投稿した人がどのぐらいの割合で保存したかを示す数値です。保存率が3%を超えると、Instagramの「発見タブ」に載りやすくなります。

プロフィールアクセス率

投稿を見た人がどのぐらいプロフィールまでアクセスしてきたかを見る数値です。ユーザーがどの程度自分のアカウントに興味を持っているかという指標の一つになります。

フォロワー転換率

　プロフィールにアクセスしたユーザーの中で、アカウントを新たにフォローしたユーザーの割合のことです。もしこの数値が低ければ、プロフィールにアクセスされたとしてもフォローに至っておらず、継続的にコンテンツを追いたいと思われていないということがわかります。

ストーリー閲覧率

　ストーリーの閲覧率です。閲覧率は15%以下だと低いとされています。

アクションスタンプ率

　ストーリー閲覧者の中で、どのぐらいスタンプを押して反応を返してくれたのかという割合です。

　フォロワー数を増やそうというときにこれらの指標を持っておくと、「保存率がよくないから、ユーザーが求めている投稿ができていないのかもしれない」「ストーリー閲覧率がよくないから、ストーリーに課題があるようだ」と、自分が足りない部分がわかり、仮説を立てやすくなります。

最終着地までのフローを明確にしよう

　フォローしてもらうためには、ユーザーの着地ポイントを決め、そこまでのフロー（流れ）を明確にしておくことが大切です。自分の課題や強みが明確になります。私のInstagramアカウントを例に説明しましょう。

例）ユーザーの着地ポイント：自分をフォローしてもらう

❶ 認知

自分の投稿がフィードに反映されます。「働きやすい仕事って何だろう？　今の仕事あまり好きじゃないし、興味あるな」と認知される状態です。

❷ 興味・関心

投稿に興味が湧き、プロフィールに飛ぶというアクションです。

❸ 検討

プロフィールや直近の投稿を閲覧し、「フリーランスって興味があるな。副業も始めてみたいし、この人の投稿は参考になりそうだな」と、フォローをするか検討する段階です。

❹ 着地点：フォロー

フォローすると決定される段階です。

このように、フローを明確化して細かく分けておくことがポイントになります。

SNS プラットフォームの年齢層

各プラットフォームのユーザーの年齢層は、どのように考慮すべきなのでしょうか。

利用者の年代と性別を確認しておきましょう。

・Facebook

10代～60代の男性利用率は34.1%、女性利用率は31.0%。年齢別では30代の利用率が45.7%と最多

・Instagram

10代～60代の男性利用率は42.3%、女性利用率は54.8%。年代別では10代～20代の利用率が70%以上

・X（旧Twitter）

10代～60代の男性利用率は46.5%、女性利用率は45.9%。年代別では20代の利用率が78.6%

・TikTok

10代～60代の男性利用率は22.3%、女性利用率は27.9%。年代別では10代の利用率が62.4%と最も高く、次いで20代が46.5%

SNS運用においてユーザーの年齢層はそこまで考えなくてもよいというのが私の意見です。InstagramでもTikTokでも、確かに若者が多いことは事実ですが、50代の人も見ているので、十分に広告や投稿の効果が期待できます。

一方でFacebookは実名ということもあり、SNSの中ではやや異質なプラットフォームです。拡散力もあまりありません。意識の高い方が多いので、例えば自己啓発セミナーの広告を出稿するのであれば、Facebookは効果的だと思います。また、BtoBの利用のほうが多いイメージです。ユーザーの年齢層や属性を見る場合、Facebookだけは多少考慮に入れます。

少しの努力が大きな差を生む！　SNS文章術

SNSで発信するときに意識したい文章術をお伝えしましょう。

①一文を短くする

Instagramの場合は、基本的に**16文字以内**に収めましょう。短い文章のほうが読みやすいです。

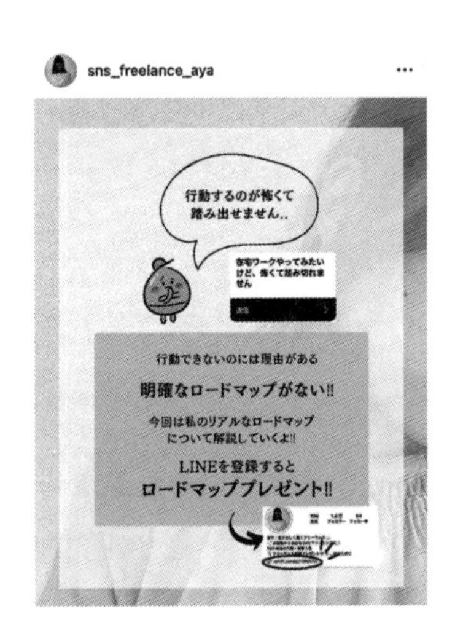

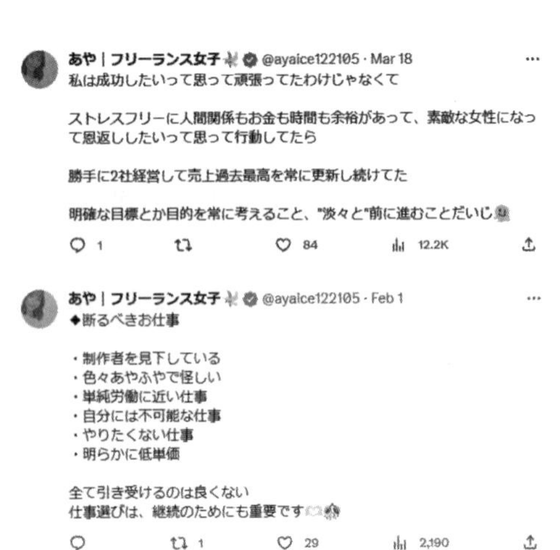

X（旧 Twitter）の場合も同様で、ダラダラとした句読点のない文章は好まれません。できるだけ一文を短くし、必要に応じて箇条書きにしましょう。

②漢字は多用しない

漢字を多く使うと、難しく見えるためとっつきづらい印象を与えてしまいます。ひらがな、カタカナをバランスよく使うようにしてください。

③改行して読みやすくする

改行しないで文章を長々と書くと、キツキツでとても読みづらくなります。改行は適宜入れるようにしましょう。

④場合によっては絵文字を使う

シリアスなときは絵文字を使いませんが、ゆるく話したいときは絵文字を使います。特に女性は、絵文字を使ったほうがやんわりと意図を伝えられる効果がありますので、うまく使い分けてください。

⑤数字で表現できるか考える

「余裕がある女性の特徴とは？」より、「余裕がある女性の10の特徴」のほうが、「10個もあるんだ！　何だろう？」と興味が湧きませんか？

同様に、「毎日5時半起きの女子が、早起きのために工夫していること」「再現性100％で成約率を50％にまで持っていった営業文をプレゼントします」というように、数字を入れた方が具体的で伝わりやすい文章になります。

SNSは文字数が限られているものですが、そこに数字を入れると非常に大きな効果をもたらしてくれます。

⑥可能ならビフォーアフターを入れる

私のアカウントでは、「月収15万円以下の平凡な23歳OLが、フリーランスになって2年で月収100万円を達成」という文章を繰り返し入れています。短い文章であっても2年間の変化がわかり、読んだ人は親近感が湧くのではないでしょうか。「偏差値40から1年で……」「昨年は予選敗退だったのに、今年はまさかの……」などと、さまざまなところで使われている手法です。

ただし、少し前述しましたが、化粧品や医療機器などの広告でビフォーアフター表現を使うと、薬機法の規制に違反する可能性があります。基本的にはその都度企業に確認をするようにしてください。

⑦具体的に表現できるか考える

⑤とやや似ているのですが、表現により具体性を持たせられるかを考えるようにします。「朝型生活にするために、夜遅くまでミーティングを入れないようにしましょう」ではなく、「19時以降はミーティングを入れないようにしましょう」のほうが、ピンときませんか？

「書くものを持ってきてください」よりも「ノートとペンを忘れずに」のほうが、記憶に残りやすいもの。少しの違いで、「この投稿を後で見返そう」と保存率がアップします。

SNSを伸ばし続けられる人の条件とは？

現在、ありとあらゆる人がSNSを使い、集客しようと試みています。そのなかでも、SNSをこれからも伸ばし続けられる人には、次のような条件があります。

「なんで思考」ができる

CHAPTER3で説明した仮説思考ができる人は、課題にぶつかったときに「どうしてこういう事態が発生したのだろう？」と考えることができます。一方でうまくいっているときでも、「なぜ成績が伸びているのだろうか？」と要因を探り、いい状況を何度も生み出せます。

ダイレクトレスポンスマーケティングの枠組みを実行できる

ダイレクトレスポンスマーケティング（DRM）とは、飛び込み営業などのプッシュ営業とは異なり、広告やプロモーションに対してレスポンスがあった顧客をターゲットとするマーケティング手法です。

DRMは次の3つのステップに分かれます。

STEP1：集客

見込み客のリスト化を目指します。具体的には、無料サンプル配布や資料請求など、価値があると思えるような有益な情報を提供し、対価として顧客情報を獲得します。

母数が大きいほど売上も比例して大きくなる可能性があるため、重要な部分です。

STEP2：育成

顧客と信頼関係を構築したり、顧客に対して継続的なアプローチをかけたりすることです。

見込み客が、いきなり自社のサービスや商品を購入することはあまりありません。検討を重ねる中で、顧客が自社を選びたくなる理由を増やす工夫が必要になります。

例えば、会員限定の特典を用意したり、顧客に有益な情報を定期的に発信したりするなどが挙げられます。問い合わせ対応やアンケート実施なども有効です。

STEP3：販売

STEP2により、見込み客は自社のサービス・商品に対して理解し、購買意欲が高まっています。

顧客のニーズに応える販売方法を考えながら売ると、さらなる信頼が寄せられリピート利用につながります。

このDRMの仕組みを理解し、SNSで実行できる人はとても有利です。SNSは見込み客と直接コミュニケーションが取れるのでファン化につながり、最終的な着地点への導線も設けられます。

インサイト分析をしながら改善ができる

インサイト分析とは、「Instagramインサイト」「Facebookインサイト」「X（旧Twitter）アナリティクス」などを分析する力のことです。

これらをきちんと確認し、どこに自分の課題があるのか、あるいは何がアドバンテージかを自分なりに分析できることが大事です。感覚的に捉えず、数字を見て判断できる力が必要です。

貪欲に情報収集できる

SNSは流行り廃りが激しい世界で、まめな情報収集が欠かせません。スクールに入ったり、SNSの発信者と情報交換をしたりと、積極的に情報を取りに行ける人というのは、やはり数多あるアカウントの中でも差がつきます。

客観的な視点を持てる

SNSは手軽な分、思い込みやフィーリングで運用している人も多いです。常に客観的な視点を持つようにして、「この人が伸びている理由は○○だな。では自分はできているだろうか」と、第三者の目線で冷静に考えるようにしてください。

その上で、自分の素直な感覚も取り入れることができるならば、伸びるでしょう。

SNSで稼ぎたいなら「ショート動画」をマスターしよう

近年ショート動画を好むユーザーが増えているため、SNS側もショート動画機能をどんどん充実させています。そのためショート動画をマスターすることが、SNSで稼ぐことにつながります。

そもそもショート動画とは、最大1～3分の短尺動画のこと。YouTubeの視聴が横画面なのに対し、縦動画が画面いっぱいに表示されるものが多いのが特徴です。サムネイルから好みの動画を選ぶこともできますが、次々に流れてくるおすすめ動画をそのまま見ていくという使い方が主流です。

ここでは、ショート動画について詳しく解説します。

ショート動画が見られるアプリ

ショート動画が見られるアプリは、主に次の通りです。

Instagramのリール

最大90秒のショート動画をシェアする機能です。ストーリーは基本的に24時間で消えるのに対して、リールは自分のページに残ります。リールは、ホーム画面、発見タブ、リールタブ、アカウントのプロフィールの動画投稿部分に表示されます。

YouTubeショート

60秒までのショート動画を、縦画面で見る機能です。視聴方法はクリックではなく、スクロールによる視聴切り替え。TikTokは若者がメインユーザーなのに対し、YouTubeは10〜40代の90%以上、50代の80%以上、60代の65%以上と幅広い年齢層に利用されています。

TikTok

最大10分までの動画を縦画面で見られるアプリで、ユーザーが世界中で急増しています。10代に人気のSNSというイメージが強くありますが、最近は20代以上にも利用が広がっています。機械学習によるユーザーの好みにパーソナライズしたコンテンツのレコメンド機能が特徴で、レコメンドの精度が高く、動画を見続けてしまうユーザーが続出しています。

ショート動画というのは、今ものすごく需要があって伸びている市場です。SNS の世界で稼ぎたいのなら、ショート動画をマスターすることは不可欠。絶対にノウハウを覚えるべきジャンルです。

おわりに

ここまで読んでいただきありがとうございました。
私は今回、フリーランスになりたいと思っている方に向けて本書を執筆しました。特に、本書で私があなたに一番お伝えしたかったことは、不確実なこの世の中を生き抜いて、理想の自分として輝いていってほしいということです。

私は、そんな自分の理想の働き方である「ゆるく、かわいく、自由に働く」の３つを叶えるために、まず**自己分析**をしました。自分のことを知り、自分がどういうライフスタイルを送りたいかを明確にするためです。
働き方が多様化し、人によって正解が異なる時代です。あなたもぜひ、折に触れて「自分の理想とする生き方は何だろう？」「どんな働き方なら自分は幸せだろうか？」と自己分析する機会を持ってください。

次に私がしたのは、**大好きな人たちと過ごす時間を確保する**こと。家族や友人など、自分にとって大切な人たちと過ごす時間は必ず日常の中で持っておくようにしました。

そして最も大事にしているのは、**ストレスから逃げる**ことです。ストレスがかかる状況というのは、どの人にとっても非常につらいものです。常に逃げるのはよくないですし、我慢の先に何か得るものがあるのであれば耐える意味もあるでしょう。しかし、できれば私はストレスフリーに生きたい。
そのために、つまりストレスに関わらずにすむように、仕事選びや人間関係に気をつけています。ゆるく、かわいく、自由に働くことを阻むような人や仕事、環境、情報、時間の使い方は、すべて取り除いているのです。
一方で、働いていく中で、我慢すべきときにはしなければなりません。自分の中でしっかりと線引きして、このバランスを上手に取ることが大事になります。

最後に、理想に近づくために私が続けている７つの習慣をご紹介します。

①理想を書き出す

ぼんやりと考えていることを言語化するために、ノートなどに自分の理想を書き出します。
ポイントは､思い浮かんだときにすぐにメモをすること。そして､「こんな自分にはなりたくない」という自分像も書き出すことです。

②スケジュールに落とし込む

プロセスが明確なほど、理想がより具体的に見えるようになります。スケジュール帳を開き、「〇日までに〇〇をしよう」と自分に約束をしましょう。具体的に行動に落とし込むことで、理想がどんどん近づきます。
１週間に１回は、計画の時間を取ることをおすすめします。

③自分と周囲に理想を宣言する

言葉にすることで、自分の脳にインプットされて自然と理想に近づく行動ができると聞きました。

私は、紙に書き出して毎日口に出すようにしています。また、友人と理想の自分についてよく話します。

④自分のことをよく知る

自分の現状を明確にします。強み、弱み、直したいところなどを言語化します。具体的には、「なんでこんな感情になったんだろう？」というように、「なんで？」を問いかけるクセをつけるようにします。

⑤気持ちに素直になる

やりたいことを言語化して、やってみる。これを繰り返すことで、少しずつ理想に近づけていると感じています。

まずは、「こういうことがしたい」と思ったことをノートに書き出しましょう。次に、それをいつまでに実行するかを決めます。やりたいことは、仕事・プライベートを問わず、どんな些細なことでもOKです。

⑥理想としている人に会う

理想の人に会うと、どのステップで自分が進んでいけばいいのかが見えてきます。いい刺激を受けるので、行動も自然とスピードアップできます。

そのためには、普段から「理想の人はどこにいるだろう？」

とアンテナを立てておくことが重要です。また友人にも、「こんな人いない？」と聞いてみるのもよいでしょう。

⑦自己投資を惜しまない

成長を続けるためにも、自分への投資は惜しまないようにします。投資するにあたっては、まず理想から逆算し、今の自分にとって必要な能力や要素をあぶり出します。そして、どこに投資するのかを決めていきます。

以上の７つの習慣を繰り返して、私は理想の自分へと近づけるように日々努力しています。ぜひ参考にされて、あなたも自分の思い描く理想に一歩一歩近づいていってほしいと思います。

そしてもし、あなたの思い描く理想が「自分で生き抜く力を身につけたい」というものであったなら、まずは副業から始めてみるのがいいかもしれません。そして少しずつ、会社に頼らない仕事の仕方を覚えていってください。自分らしい生き方や働き方を考えた先にフリーランスという答えがあるのなら、私もこの本を書いた意味があると言えるでしょう。

自分の人生の舵取りをするのは自分です。あなたらしい働き方を選び、自分の人生を歩んでいってください。

2023年10月吉日

池田彩

池田 彩（いけだ・あや）

株式会社 Colore 代表取締役

滋賀県出身。累計生徒数 300 名を超えるオンライン SNS スクール代表。1 年半で 2 億円の売上をつくり上げている。SNS の総フォロワー数は 8 万人超え。新卒時代は 12 時間労働で手取り 13 万円、借金 400 万円を抱えていた。このままでは人生が終わってしまうと思い副業を開始し、SNS 運用代行に出合う。その後 23 歳で独立しフリーランスになり、24 歳で会社を設立。SNS 運用代行のスクールも主催し、これまで約 2000 件を超えるアカウントの添削を行った。現在、電子書籍『アラサー女子のゆるっと賢い生き方』、『アラサー平凡女子でもフリーランスで月 100 万円を叶える方法』、『オトナ女子の幸運をつかむ 5 つのルール』を出版している。

Instagram：@sns_freelance_aya

手取り13万円のポンコツOLが月収100万円を達成した

フリーランスの教科書

2023年11月20日　初版発行

著　者　池田彩
発行者　野村直克
発行所　総合法令出版株式会社
〒103-0001 東京都中央区日本橋小伝馬町 15-18
EDGE 小伝馬町ビル 9 階
電話　03-5623-5121
印刷・製本　中央精版印刷株式会社

落丁・乱丁本はお取替えいたします。

ISBN 978-4-86280-926-1

総合法令出版ホームページ　http://www.horei.com/